한국어(солонгос хэл)

동사(үйл үг) 290

형용사(тэмдэг нэр) 137

Монгол хэл(몽골어)
орчуулагдсан хувилбар(번역판)

< 저자(зохиогч) >

㈜한글2119연구소

· 연구개발전담부서

· ISO 9001 : 품질경영시스템 인증

· ISO 14001 : 환경경영시스템 인증

· 이메일(и-мэйл) : gjh0675@naver.com

< 동영상(дүрс бичлэг) 자료(түүхий эд) >

HANPUK_монгол хэл(орчуулга)
https://www.youtube.com/@HANPUK_Mongolian

제 2024153361 호

연구개발전담부서 인정서

1. 전담부서명: 연구개발전담부서

   [소속기업명: (주)한글2119연구소]

2. 소 재 지: 인천광역시 부평구 마장로264번길 33
   상가동 제지하층 제2호 (산곡동, 뉴서울아파트)

3. 신고 연월일: 2024년 05월 02일

과학기술정보통신부

「기초연구진흥 및 기술개발지원에 관한 법률」 제14조의
2제1항 및 같은 법 시행령 제27조제1항에 따라 위와 같이
기업의 연구개발전담부서로 인정합니다.

2024년 5월 13일

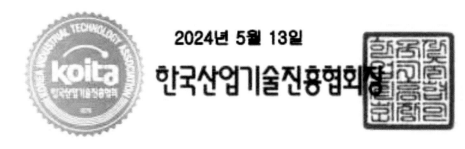

한국산업기술진흥협회장

G-CERTI *Certificate*

hereby certifies that

Hangul 2119 Research Institute Co., Ltd.

Rm. 2, Lower level, Sangga-dong, 33, Majang-ro 264beon-gil, Bupyeong-gu, Incheon, Korea

meets the Standard Requirements & Scope as following

ISO 9001:2015
Quality Management Systems

Creation of Media Content, Publication of Korean Paper and Electronic Textbooks, Production and Release of Albums for Korean Language Education

Certificate No: GIS-6934-QC	**Code**	: 08, 39
Initial Date : 2024-05-21	**Issue Date**	: 2024-05-21
Expiry Date : 2027-05-20	**Valid Period**	: 2024-05-21 ~ 2027-05-20

Signed for and on behalf of GCERTI
President I.K.Cho

G-CERTi SYSTEM SERVICE MSCB-113

IAS ACCREDITED Management Systems Certification Body MSCB-113

IAF MEMBER OF MULTILATERAL RECOGNITION ARRANGEMENT

G-CERTI *Certificate*

hereby certifies that

Hangul 2119 Research Institute Co., Ltd.

Rm. 2, Lower level, Sangga-dong, 33, Majang-ro 264beon-gil, Bupyeong-gu, Incheon, Korea

meets the Standard Requirements & Scope as following

ISO 14001:2015
Environmental Management Systems

Creation of Media Content, Publication of Korean Paper and Electronic Textbooks, Production and Release of Albums for Korean Language Education

Certificate No: GIS-6934-EC		**Code**	: 08, 39
Initial Date : 2024-05-21		**Issue Date**	: 2024-05-21
Expiry Date : 2027-05-20		**Valid Period**	: 2024-05-21 ~ 2027-05-20

Signed for and on behalf of GCERTI
President I.K.Cho

< 목차(гарчиг) >

한국어(солонгос хэл)

동사(үйл үг) 290

(1) 들리다 [deullida]

сонсогдох, сонстох

дуу чимээ чихэнд мэдэгдэх.

өнгөрсөн цаг : 들리 + 었어요 → 들렸어요
одоо : 들리 + 어요 → 들려요
ирээдүй цаг : 들리 + ㄹ 거예요 → 들릴 거예요

(2) 메다 [meda]

үүрэх, зүүх

эд зүйлийг мөр, нуруундаа өлгөж тавих.

өнгөрсөн цаг : 메 + 었어요 → 멨어요
одоо : 메 + 어요 → 메요
ирээдүй цаг : 메 + ㄹ 거예요 → 멜 거예요

(3) 보이다 [boida]

харагдах

нүдэнд ямар нэг зүйлийн оршихуй буюу хэлбэр дүрс харагдан мэдэгдэх.

өнгөрсөн цаг : 보이 + 었어요 → 보였어요
одоо : 보이 + 어요 → 보여요
ирээдүй цаг : 보이 + ㄹ 거예요 → 보일 거예요

(4) 귀여워하다 [gwiyeowohada]

өхөөрдөх, эрхлүүлэх

өөрөөсөө бага дүү хүн болон амьтныг өхөөрдөн хайрлан харьцах.

өнгөрсөн цаг : 귀여워하 + 였어요 → 귀여워했어요
одоо : 귀여워하 + 여요 → 귀여워해요
ирээдүй цаг : 귀여워하 + ㄹ 거예요 → 귀여워할 거예요

(5) 기뻐하다 [gippeohada]

баярлах, хөөрөх, баясах

хөгжилтэй, сэтгэл санаа сайхан байх.

өнгөрсөн цаг : 기뻐하 + 였어요 → 기뻐했어요

одоо : 기뻐하 + 여요 → 기뻐해요

ирээдүй цаг : 기뻐하 + ㄹ 거예요 → 기뻐할 거예요

(6) 놀라다 [nollada]

айх, цочих

гэнэтийн явдал тохиолдсонд айж цочин, хоромхон зуур сандран зүрх хурдан цохилох.

өнгөрсөн цаг : 놀라 + 았어요 → 놀랐어요

одоо : 놀라 + 아요 → 놀라요

ирээдүй цаг : 놀라 + ㄹ 거예요 → 놀랄 거예요

(7) 느끼다 [neukkida]

мэдрэх

хамар болон арьс зэрэг мэдрэлийн эрхтнээр дамжуулан ямар нэгэн цочролыг мэдрэх.

өнгөрсөн цаг : 느끼 + 었어요 → 느꼈어요

одоо : 느끼 + 어요 → 느껴요

ирээдүй цаг : 느끼 + ㄹ 거예요 → 느낄 거예요

(8) 슬퍼하다 [seulpeohada]

гуниглах, гунихрах, гашуудах

нулимс гарах шахам сэтгэл өвдөж шаналах.

өнгөрсөн цаг : 슬퍼하 + 였어요 → 슬퍼했어요

одоо : 슬퍼하 + 여요 → 슬퍼해요

ирээдүй цаг : 슬퍼하 + ㄹ 거예요 → 슬퍼할 거예요

(9) 싫어하다 [sireohada]

дургүйцэх, аягүйцэх, жигших

ямар нэгэн зүйлийг таалахгүй байх буюу хүсэхгүй байх.

өнгөрсөн цаг : 싫어하 + 였어요 → 싫어했어요

одоо : 싫어하 + 여요 → 싫어해요

ирээдүй цаг : 싫어하 + ㄹ 거예요 → 싫어할 거예요

(10) 안되다 [andoeda]

болохгүй, бүтэхгүй

үйл хэрэг болон юмс үзэгдэл зэрэг сайнаар биелэхгүй байх.

өнгөрсөн цаг : 안되 + 었어요 → 안됐어요

одоо : 안되 + 어요 → 안돼요

ирээдүй цаг : 안되 + ㄹ 거예요 → 안될 거예요

(11) 좋아하다 [joahada]

дуртай байх, дуртай

ямар нэгэн зүйлд дуртай байх мэдрэмжтэй болох.

өнгөрсөн цаг : 좋아하 + 였어요 → 좋아했어요

одоо : 좋아하 + 여요 → 좋아해요

ирээдүй цаг : 좋아하 + ㄹ 거예요 → 좋아할 거예요

(12) 즐거워하다 [jeulgeowohada]

баяр хөөртэй, баяр баясгалантай

сэтгэл санаа хангалуун баяр хөөртэй байх.

өнгөрсөн цаг : 즐거워하 + 였어요 → 즐거워했어요

одоо : 즐거워하 + 여요 → 즐거워해요

ирээдүй цаг : 즐거워하 + ㄹ 거예요 → 즐거워할 거예요

(13) 화나다 [hwanada]

уурлах, хилэгнэх, уур хүрэх, цухалдах

туйлын тааламжгүй, тохиромжгүй байж сэтгэл санаа таагүй болох.

өнгөрсөн цаг : 화나 + 았어요 → 화났어요

одоо : 화나 + 아요 → 화나요

ирээдүй цаг : 화나 + ㄹ 거예요 → 화날 거예요

(14) 화내다 [hwanaeda]

уурлах, хилэгнэх, уур хүрэх

маш их сэтгэл санаа тавгүйтэн бачимдаж буй сэтгэлээ хөдлөлөө илэрхийлэх.

өнгөрсөн цаг : 화내 + 었어요 → 화냈어요

одоо : 화내 + 어요 → 화내요

ирээдүй цаг : 화내 + ㄹ 거예요 → 화낼 거예요

(15) 자랑하다 [jaranghada]

гайхуулах, бахархах, бахдах

өөрөө болон өөрт нь холбогдох хүн болон эд зүйл бусдаас магтаал сонсохуйц зүйл болохыг илэрхийлэн хэлэх болон бахархах.

өнгөрсөн цаг : 자랑하 + 였어요 → 자랑했어요

одоо : 자랑하 + 여요 → 자랑해요

ирээдүй цаг : 자랑하 + ㄹ 거예요 → 자랑할 거예요

(16) 조심하다 [josimhada]

болгоомжлох, анхаарах

таагүй муу зүйлд өртөхгүйн тулд үг яриа, үйл хөдлөл зэрэгтээ анхаарах.

өнгөрсөн цаг : 조심하 + 였어요 → 조심했어요

одоо : 조심하 + 여요 → 조심해요

ирээдүй цаг : 조심하 + ㄹ 거예요 → 조심할 거예요

(17) 늙다 [neukda]

хөгшрөх, өтлөх

нас өндөр болох.

өнгөрсөн цаг : 늙 + 었어요 → 늙었어요
одоо : 늙 + 어요 → 늙어요
ирээдүй цаг : 늙 + 을 거예요 → 늙을 거예요

(18) 못생기다 [motsaenggida]

царай муутай, муухай

зүс царай сайнгүй.

өнгөрсөн цаг : 못생기 + 었어요 → 못생겼어요
одоо : 못생기 + 어요 → 못생겨요
ирээдүй цаг : 못생기 + ㄹ 거예요 → 못생길 거예요

(19) 빼다 [ppaeda]

хасах, багасгах

өөх тарга болон биеийн жин зэргийг багасгах.

өнгөрсөн цаг : 빼 + 었어요 → 뺐어요
одоо : 빼 + 어요 → 빼요
ирээдүй цаг : 빼 + ㄹ 거예요 → 뺄 거예요

(20) 잘생기다 [jalsaenggida]

царайлаг

хүний зүс царай сайхан байх.

өнгөрсөн цаг : 잘생기 + 었어요 → 잘생겼어요
одоо : 잘생기 + 어요 → 잘생겨요
ирээдүй цаг : 잘생기 + ㄹ 거예요 → 잘생길 거예요

(21) 찌다 [jjida]

таргалах, бүдүүрэх

биед өөх тогтон таргалах.

өнгөрсөн цаг : 찌 + 었어요 → 쪘어요
одоо : 찌 + 어요 → 쪄요
ирээдүй цаг : 찌 + ㄹ 거예요 → 찔 거예요

(22) 못하다 [motada]

чадахгүй

ямар нэгэн ажлыг тодорхой түвшинд гүйцэтгэж чадахгүй буюу тухайн ажлыг хийх чадваргүй.

өнгөрсөн цаг : 못하 + 였어요 → 못했어요
одоо : 못하 + 여요 → 못해요
ирээдүй цаг : 못하 + ㄹ 거예요 → 못할 거예요

(23) 잘못하다 [jalmotada]

буруу, буруу хийх

алдах ба зөв биш болгох.

өнгөрсөн цаг : 잘못하 + 였어요 → 잘못했어요
одоо : 잘못하 + 여요 → 잘못해요
ирээдүй цаг : 잘못하 + ㄹ 거예요 → 잘못할 거예요

(24) 잘하다 [jalhada]

сайн хийх, чадварлаг хийх, сайн ярих

дадсан, ур чадвартай хийх.

өнгөрсөн цаг : 잘하 + 였어요 → 잘했어요
одоо : 잘하 + 여요 → 잘해요
ирээдүй цаг : 잘하 + ㄹ 거예요 → 잘할 거예요

(25) 가다 [gada]

явах, очих

нэг газраас нөгөө газар руу шилжиж хөдлөх явах.

өнгөрсөн цаг : 가 + 았어요 → 갔어요
одоо : 가 + 아요 → 가요
ирээдүй цаг : 가 + ㄹ 거예요 → 갈 거예요

(26) 가리키다 [garikida]

хуруугаар заах, чичих

хуруу буюу эд зүйлээр ямарваа зүг буюу зүйлийг чиглүүлэн бусдад заах, таниулах.

өнгөрсөн цаг : 가리키 + 었어요 → 가리켰어요
одоо : 가리키 + 어요 → 가리켜요
ирээдүй цаг : 가리키 + ㄹ 거예요 → 가리킬 거예요

(27) 감다 [gamda]

угаах

толгой буюу биеийг усаар угаах.

өнгөрсөн цаг : 감 + 았어요 → 감았어요
одоо : 감 + 아요 → 감아요
ирээдүй цаг : 감 + 을 거예요 → 감을 거예요

(28) 걷다 [geotda]

алхах, алхаж явах

шалан дээр хөлөө ээлжлэн зөөж байрлалаа өөрчлөх.

өнгөрсөн цаг : 걷 + 었어요 → 걸었어요
одоо : 걷 + 어요 → 걸어요
ирээдүй цаг : 걷 + 을 거예요 → 걸을 거예요

(29) 걸어가다 [georeogada]

алхах, алхан явах

зорьсон газар руугаа чиглэн хөлөө зөөн урагшлан явах.

өнгөрсөн цаг : 걸어가 + 았어요 → 걸어갔어요
одоо : 걸어가 + 아요 → 걸어가요
ирээдүй цаг : 걸어가 + ㄹ 거예요 → 걸어갈 거예요

(30) 걸어오다 [georeooda]

алхаж ирэх

зорьсон газар руугаа чиглэн хөлөө хөдөлгөн явж ирэх.

өнгөрсөн цаг : 걸어오 + 았어요 → 걸어왔어요
одоо : 걸어오 + 아요 → 걸어와요
ирээдүй цаг : 걸어오 + ㄹ 거예요 → 걸어올 거예요

(31) 꺼내다 [kkeonaeda]

гаргах, гаргаж ирэх

дотор буй зүйлийг гадагш гаргах.

өнгөрсөн цаг : 꺼내 + 었어요 → 꺼냈어요
одоо : 꺼내 + 어요 → 꺼내요
ирээдүй цаг : 꺼내 + ㄹ 거예요 → 꺼낼 거예요

(32) 나오다 [naoda]

гарах, гарч ирэх

дотроос гадагш гарч ирэх.

өнгөрсөн цаг : 나오 + 았어요 → 나왔어요
одоо : 나오 + 아요 → 나와요
ирээдүй цаг : 나오 + ㄹ 거예요 → 나올 거예요

(33) 내려가다 [naeryeogada]

부ух, уруудах

дээрээс доошоо явах.

өнгөрсөн цаг : 내려가 + 았어요 → 내려갔어요
одоо : 내려가 + 아요 → 내려가요
ирээдүй цаг : 내려가 + ㄹ 거예요 → 내려갈 거예요

(34) 내려오다 [naeryeoooda]

уруудах, доошлох, бух

өндрөөс намхан руу, дээрээс доош ирэх.

өнгөрсөн цаг : 내려오 + 았어요 → 내려왔어요
одоо : 내려오 + 아요 → 내려와요
ирээдүй цаг : 내려오 + ㄹ 거예요 → 내려올 거예요

(35) 넘어지다 [neomeojida]

унах, нурах, ойчих

босоо байсан хүн болон эд зүйл тэнцвэрээ алдан нэг тал руугаа хазайж унах.

өнгөрсөн цаг : 넘어지 + 었어요 → 넘어졌어요
одоо : 넘어지 + 어요 → 넘어져요
ирээдүй цаг : 넘어지 + ㄹ 거예요 → 넘어질 거예요

(36) 넣다 [neota]

хийх

ямар нэгэн орон зай дотор оруулах.

өнгөрсөн цаг : 넣 + 었어요 → 넣었어요
одоо : 넣 + 어요 → 넣어요
ирээдүй цаг : 넣 + 을 거예요 → 넣을 거예요

(37) 놓다 [nota]

тавих, алдах

ямар нэг эд зүйлийг барих болон дарж байгаад гараа дэлгэн тавих юм уу хүчээ алдан барьж байсан зүйлээ гараасаа алдах.

өнгөрсөн цаг : 놓 + 았어요 → 놓았어요

одоо : 놓 + 아요 → 놓아요

ирээдүй цаг : 놓 + 을 거예요 → 놓을 거예요

(38) 누르다 [nureuda]

дарах

эд зүйлийг бүхэлд нь буюу хэсэгчлэн дээрээс доош нь хүчлэн дарах.

өнгөрсөн цаг : 누르 + 었어요 → 눌렀어요

одоо : 누르 + 어요 → 눌러요

ирээдүй цаг : 누르 + ㄹ 거예요 → 누를 거예요

(39) 달리다 [dallida]

гүйх, давхих

хурдан гүйж явах буюу ирэх.

өнгөрсөн цаг : 달리 + 었어요 → 달렸어요

одоо : 달리 + 어요 → 달려요

ирээдүй цаг : 달리 + ㄹ 거예요 → 달릴 거예요

(40) 던지다 [deonjida]

шидэх, чулуудах

гартаа байсан зүйлийг гараа хөдөлгөн агаарт илгээх.

өнгөрсөн цаг : 던지 + 었어요 → 던졌어요

одоо : 던지 + 어요 → 던져요

ирээдүй цаг : 던지 + ㄹ 거예요 → 던질 거예요

(41) 돌리다 [dollida]

эргүүлэх

ямар нэг зүйлийг тойрог маягаар хөдөлгөх.

өнгөрсөн цаг : 돌리 + 었어요 → 돌렸어요
одоо : 돌리 + 어요 → 돌려요
ирээдүй цаг : 돌리 + ㄹ 거예요 → 돌릴 거예요

(42) 듣다 [deutda]

сонсох

чихээрээ дуу чимээг таньж мэдэх.

өнгөрсөн цаг : 듣 + 었어요 → 들었어요
одоо : 듣 + 어요 → 들어요
ирээдүй цаг : 듣 + 을 거예요 → 들을 거예요

(43) 들어가다 [deureogada]

явж орох, дотогш орох

гаднаас дотогшоо орох.

өнгөрсөн цаг : 들어가 + 았어요 → 들어갔어요
одоо : 들어가 + 아요 → 들어가요
ирээдүй цаг : 들어가 + ㄹ 거예요 → 들어갈 거예요

(44) 들어오다 [deureooda]

орох, орж ирэх

ямар нэг хүрээний гаднаас дотогш шилжин хөдлөх.

өнгөрсөн цаг : 들어오 + 았어요 → 들어왔어요
одоо : 들어오 + 아요 → 들어와요
ирээдүй цаг : 들어오 + ㄹ 거예요 → 들어올 거예요

(45) 뛰다 [ttwida]

ГҮЙХ, ГҮЙЖ ЯВАХ

хөлөө маш түргэн хөдөлгөн хурдан урагш явах.

өнгөрсөн цаг : 뛰 + 었어요 → 뛰었어요
одоо : 뛰 + 어요 → 뛰어요
ирээдүй цаг : 뛰 + ㄹ 거예요 → 뛸 거예요

(46) 뛰어가다 [ttwieogada]

ГҮЙН ЯВАХ, ГҮЙХ

хаа нэгт тийшээ хурднаар гүйн явах.

өнгөрсөн цаг : 뛰어가 + 았어요 → 뛰어갔어요
одоо : 뛰어가 + 아요 → 뛰어가요
ирээдүй цаг : 뛰어가 + ㄹ 거예요 → 뛰어갈 거예요

(47) 뜨다 [tteuda]

НЭЭХ

нүдээ нээх.

өнгөрсөн цаг : 뜨 + 었어요 → 떴어요
одоо : 뜨 + 어요 → 떠요
ирээдүй цаг : 뜨 + ㄹ 거예요 → 뜰 거예요

(48) 만지다 [manjida]

ХҮРЭХ, ОРОЛДОХ

хаа нэгэн газар гараа хүргэн хөдөлгөх.

өнгөрсөн цаг : 만지 + 었어요 → 만졌어요
одоо : 만지 + 어요 → 만져요
ирээдүй цаг : 만지 + ㄹ 거예요 → 만질 거예요

(49) 미끄러지다 [mikkeureojida]

хальтрах

хальтиргаатай газар нэг тал руугаа гулсан явах буюу унах.

өнгөрсөн цаг : 미끄러지 + 었어요 → 미끄러졌어요
одоо : 미끄러지 + 어요 → 미끄러져요
ирээдүй цаг : 미끄러지 + ㄹ 거예요 → 미끄러질 거예요

(50) 밀다 [milda]

түлхэх, түрэх

юмыг хөдөлгөхийн тулд хүсч буй чиглэлийнхээ эсрэг талаас хүч өгөх.

өнгөрсөн цаг : 밀 + 었어요 → 밀었어요
одоо : 밀 + 어요 → 밀어요
ирээдүй цаг : 밀 + ㄹ 거예요 → 밀 거예요

(51) 바라보다 [baraboda]

ажих, ширтэх, хараа тавих, нүд тавих

шууд чиглэн харах.

өнгөрсөн цаг : 바라보 + 았어요 → 바라봤어요
одоо : 바라보 + 아요 → 바라봐요
ирээдүй цаг : 바라보 + ㄹ 거예요 → 바라볼 거예요

(52) 보다 [boda]

үзэх, харах

нүдээрээ ямар нэг зүйлийн оршин байгааг нь болон гадаад төрхийг нь харж мэдэх.

өнгөрсөн цаг : 보 + 았어요 → 봤어요
одоо : 보 + 아요 → 봐요
ирээдүй цаг : 보 + ㄹ 거예요 → 볼 거예요

(53) 서다 [seoda]

зогсох

хүн, амьтан нь газарт хөлөө тулан биеэ цэхлэх.

өнгөрсөн цаг : 서 + 었어요 → 섰어요
одоо : 서 + 어요 → 서요
ирээдүй цаг : 서 + ㄹ 거예요 → 설 거예요

(54) 쉬다 [swida]

амрах

ядаргаагаа гаргахын тулд биеэ амраах.

өнгөрсөн цаг : 쉬 + 었어요 → 쉬었어요
одоо : 쉬 + 어요 → 쉬어요
ирээдүй цаг : 쉬 + ㄹ 거예요 → 쉴 거예요

(55) 안다 [anda]

тэврэх

хоёр гараа дэлгэн цээжин хэсэг рүүгээ татан авч ирэх буюу тэвэртээ байлгах.

өнгөрсөн цаг : 안 + 았어요 → 안았어요
одоо : 안 + 아요 → 안아요
ирээдүй цаг : 안 + 을 거예요 → 안을 거예요

(56) 앉다 [anda]

суух

цээжин биеэ эгцлэн өгзгөндөө биеийн жингээ төвлөрүүлж өөр зүйл болон шалан дээр биеэ тавих.

өнгөрсөн цаг : 앉 + 았어요 → 앉았어요
одоо : 앉 + 아요 → 앉아요
ирээдүй цаг : 앉 + 을 거예요 → 앉을 거예요

(57) 오다 [oda]

ирэх

ямар нэгэн зүйл нэг газраас наашаа хөдлөх.

өнгөрсөн цаг : 오 + 았어요 → 왔어요
одоо : 오 + 아요 → 와요
ирээдүй цаг : 오 + ㄹ 거예요 → 올 거예요

(58) 올라가다 [ollagada]

авирах, өгсөх

доороос дээшээ, нам дор газраас өндөр газар луу явах.

өнгөрсөн цаг : 올라가 + 았어요 → 올라갔어요
одоо : 올라가 + 아요 → 올라가요
ирээдүй цаг : 올라가 + ㄹ 거예요 → 올라갈 거예요

(59) 올라오다 [ollaoda]

өгсөж ирэх, авирч ирэх

нам газраас өндөр газар луу ирэх.

өнгөрсөн цаг : 올라오 + 았어요 → 올라왔어요
одоо : 올라오 + 아요 → 올라와요
ирээдүй цаг : 올라오 + ㄹ 거예요 → 올라올 거예요

(60) 울다 [ulda]

уйлах

уйтгарлах юм уу өвдөх, эсвэл хэт их баярласан үед дуу гарган нулимс урсгах. мөн тийнхүү нулимс урсгангаа дуу гаргах.

өнгөрсөн цаг : 울 + 었어요 → 울었어요
одоо : 울 + 어요 → 울어요
ирээдүй цаг : 울 + ㄹ 거예요 → 울 거예요

(61) 움직이다 [umjigida]

хөдөлгөх

байрлал, байр байдлыг өөрчлөх, мөн өөрчлөгдөх.

өнгөрсөн цаг : 움직이 + 었어요 → 움직였어요

одоо : 움직이 + 어요 → 움직여요

ирээдүй цаг : 움직이 + ㄹ 거예요 → 움직일 거예요

(62) 웃다 [utda]

инээх

баярлах, сэтгэл хангалуун байх, инээд хүрсэн үед нүүрэндээ мишээл тодруулан баясах

өнгөрсөн цаг : 웃 + 었어요 → 웃었어요

одоо : 웃 + 어요 → 웃어요

ирээдүй цаг : 웃 + 을 거예요 → 웃을 거예요

(63) 일어나다 [ireonada]

босох

хэвтэж байгаад суух юм уу сууж байгаад босож зогсох.

өнгөрсөн цаг : 일어나 + 았어요 → 일어났어요

одоо : 일어나 + 아요 → 일어나요

ирээдүй цаг : 일어나 + ㄹ 거예요 → 일어날 거예요

(64) 일어서다 [ireoseoda]

босох

сууж байгаад босох.

өнгөрсөн цаг : 일어서 + 었어요 → 일어섰어요

одоо : 일어서 + 어요 → 일어서요

ирээдүй цаг : 일어서 + ㄹ 거예요 → 일어설 거예요

(65) 잡다 [japda]

바리х

гартаа атган тавихгүй байх.

өнгөрсөн цаг : 잡 + 았어요 → 잡았어요
одоо : 잡 + 아요 → 잡아요
ирээдүй цаг : 잡 + 을 거예요 → 잡을 거예요

(66) 접다 [jeopda]

нугалах, эвхэх

даавуу, цаас зэргийг нугалан давхарлах.

өнгөрсөн цаг : 접 + 었어요 → 접었어요
одоо : 접 + 어요 → 접어요
ирээдүй цаг : 접 + 을 거예요 → 접을 거예요

(67) 지나가다 [jinagada]

өнгөрөх

ямар нэгэн газрыг өнгөрч явах.

өнгөрсөн цаг : 지나가 + 았어요 → 지나갔어요
одоо : 지나가 + 아요 → 지나가요
ирээдүй цаг : 지나가 + ㄹ 거예요 → 지나갈 거예요

(68) 지르다 [jireuda]

хашгирах, орилох

дуу хоолойгоо чанга гаргах.

өнгөрсөн цаг : 지르 + 었어요 → 질렀어요
одоо : 지르 + 어요 → 질러요
ирээдүй цаг : 지르 + ㄹ 거예요 → 지를 거예요

(69) 차다 [chada]

өшиглөх

хөлөө тэнийлгэн ямар нэг зүйлийг байдаг чадлаараа өшиглөх юмуу дээш болгох.

өнгөрсөн цаг : 차 + 았어요 → 찼어요
одоо : 차 + 아요 → 차요
ирээдүй цаг : 차 + ㄹ 거예요 → 찰 거예요

(70) 쳐다보다 [cheodaboda]

өлийн харах, дээш харах

дороос дээш харах.

өнгөрсөн цаг : 쳐다보 + 았어요 → 쳐다봤어요
одоо : 쳐다보 + 아요 → 쳐다봐요
ирээдүй цаг : 쳐다보 + ㄹ 거예요 → 쳐다볼 거예요

(71) 치다 [chida]

цохих, алгадах

гар болон эд зүйлийг ямар нэгэн зүйлтэй хүчтэй мөргөлдүүлэх.

өнгөрсөн цаг : 치 + 었어요 → 쳤어요
одоо : 치 + 어요 → 쳐요
ирээдүй цаг : 치 + ㄹ 거예요 → 칠 거예요

(72) 흔들다 [heundeulda]

даллах, хөдөлгөх, сэгсчих

юмыг баруун зүүн, урагш хойш байнга хөдөлгөх.

өнгөрсөн цаг : 흔들 + 었어요 → 흔들었어요
одоо : 흔들 + 어요 → 흔들어요
ирээдүй цаг : 흔들 + ㄹ 거예요 → 흔들 거예요

(73) 기억나다 [gieongnada]

санаанд орох

өмнө мэддэг байсан дүр төрх, үнэн бодит зүйл, мэдлэг, туршлага зэрэг нь сэтгэл санаанд урган гарах.

өнгөрсөн цаг : 기억나 + 았어요 → 기억났어요

одоо : 기억나 + 아요 → 기억나요

ирээдүй цаг : 기억나 + ㄹ 거예요 → 기억날 거예요

(74) 모르다 [moreuda]

мэдэхгүй байх, мэдэхгүй

хүн, эд юм, үнэн зүйлийн талаар мэдээгүй буюу ойлгохгүй байх.

өнгөрсөн цаг : 모르 + 았어요 → 몰랐어요

одоо : 모르 + 아요 → 몰라요

ирээдүй цаг : 모르 + ㄹ 거예요 → 모를 거예요

(75) 믿다 [mitda]

итгэх

ямар нэгэн зүйлийг зөв буюу үнэн гэж бодох.

өнгөрсөн цаг : 믿 + 었어요 → 믿었어요

одоо : 믿 + 어요 → 믿어요

ирээдүй цаг : 믿 + 을 거예요 → 믿을 거예요

(76) 바라다 [barada]

хүсэх, мөрөөдөх, тэмүүлэх

бодол санаа, хүсэл мөрөөдлийн дагуу ямар нэг үйл хэрэг биелэхийг хүсч найдах.

өнгөрсөн цаг : 바라 + 았어요 → 바랐어요

одоо : 바라 + 아요 → 바라요

ирээдүй цаг : 바라 + ㄹ 거예요 → 바랄 거예요

(77) 보이다 [boida]

харуулах, үзүүлэх, мэдэгдэх

нүдээр ямар нэг зүйлийн оршихуй буюу хэлбэр дүрсийг харж мэдэхэд хүргэх.

өнгөрсөн цаг : 보이 + 었어요 → 보였어요

одоо : 보이 + 어요 → 보여요

ирээдүй цаг : 보이 + ㄹ 거예요 → 보일 거예요

(78) 생각나다 [saenggangnada]

санаанд орох, санаа төрөх

шинэ бодол толгойд орж ирэх.

өнгөрсөн цаг : 생각나 + 았어요 → 생각났어요

одоо : 생각나 + 아요 → 생각나요

ирээдүй цаг : 생각나 + ㄹ 거예요 → 생각날 거예요

(79) 알다 [alda]

мэдэх

боловсрол, туршлага, бодол зэргээр дамжуулан юмс үзэгдэл, нөхцөл байдлын талаарх мэдээлэл болон мэдлэгийг олж авах.

өнгөрсөн цаг : 알 + 았어요 → 알았어요

одоо : 알 + 아요 → 알아요

ирээдүй цаг : 알 + ㄹ 거예요 → 알 거예요

(80) 알리다 [allida]

мэдэгдэх, хэлэх, зарлах

мэдэхгүй байгаа болон мартсан зүйлийг ойлгох буюу мэддэг болгох.

өнгөрсөн цаг : 알리 + 었어요 → 알렸어요

одоо : 알리 + 어요 → 알려요

ирээдүй цаг : 알리 + ㄹ 거예요 → 알릴 거예요

(81) 외우다 [oeuda]

ЦЭЭЖЛЭХ, ТОГТООХ

үг яриа, бичиг зэргийг мартахгүй тогтоох.

өнгөрсөн цаг : 외우 + 었어요 → 외웠어요

одоо : 외우 + 어요 → 외워요

ирээдүй цаг : 외우 + ㄹ 거예요 → 외울 거예요

(82) 원하다 [wonhada]

ХҮСЭХ

ямар нэг зүйлийг хүсэх юмуу хийх гэх.

өнгөрсөн цаг : 원하 + 였어요 → 원했어요

одоо : 원하 + 여요 → 원해요

ирээдүй цаг : 원하 + ㄹ 거예요 → 원할 거예요

(83) 잊다 [itda]

мартах, санахгүй байх

өмнө мэддэг байсан зүйлээ санахгүй байх буюу сэргээн санаж чадахгүй байх.

өнгөрсөн цаг : 잊 + 었어요 → 잊었어요

одоо : 잊 + 어요 → 잊어요

ирээдүй цаг : 잊 + 을 거예요 → 잊을 거예요

(84) 잊어버리다 [ijeobeorida]

мартах, санахгүй байх

нэгэнт мэддэг байсан зүйлийг бүгдийг нь санахгүй байх буюу огт санахгүй байх.

өнгөрсөн цаг : 잊어버리 + 었어요 → 잊어버렸어요

одоо : 잊어버리 + 어요 → 잊어버려요

ирээдүй цаг : 잊어버리 + ㄹ 거예요 → 잊어버릴 거예요

(85) 기르다 [gireuda]

маллах, ургуулах, үржүүлэх

амьтан ургамалд тэжээл бордоо өгч хамгаалж том өсгөх.

өнгөрсөн цаг : 기르 + 었어요 → 길렀어요
одоо : 기르 + 어요 → 길러요
ирээдүй цаг : 기르 + ㄹ 거예요 → 기를 거예요

(86) 살다 [salda]

амьдрах, аж төрөх

амьд сэрүүн байх.

өнгөрсөн цаг : 살 + 았어요 → 살았어요
одоо : 살 + 아요 → 살아요
ирээдүй цаг : 살 + ㄹ 거예요 → 살 거예요

(87) 죽다 [jukda]

үхэх, нас барах

амьд амьтан амиа алдах.

өнгөрсөн цаг : 죽 + 었어요 → 죽었어요
одоо : 죽 + 어요 → 죽어요
ирээдүй цаг : 죽 + 을 거예요 → 죽을 거예요

(88) 지내다 [jinaeda]

амьдрах, байх

ямар нэг хэмжээ болон нөхцөлд амьдрах буюу амьдралаа өнгөрүүлэх.

өнгөрсөн цаг : 지내 + 었어요 → 지냈어요
одоо : 지내 + 어요 → 지내요
ирээдүй цаг : 지내 + ㄹ 거예요 → 지낼 거예요

(89) 태어나다 [taeeonada]

төрөх, мэндлэх, гарах

хүн, амьтан хэлбэр байдлаа олж эхийнхээ биеэс гарч ирэх.

өнгөрсөн цаг : 태어나 + 았어요 → 태어났어요

одоо : 태어나 + 아요 → 태어나요

ирээдүй цаг : 태어나 + ㄹ 거예요 → 태어날 거예요

(90) 감다 [gamda]

аних, нүд аних

нүдний аньсага хамхих.

өнгөрсөн цаг : 감 + 았어요 → 감았어요

одоо : 감 + 아요 → 감아요

ирээдүй цаг : 감 + 을 거예요 → 감을 거예요

(91) 깨다 [kkaeda]

сэрэх

унтаа байдлаас сэрж ухаан санаагаа төвлөрүүлэх. мөн тийм болох.

өнгөрсөн цаг : 깨 + 었어요 → 깼어요

одоо : 깨 + 어요 → 깨요

ирээдүй цаг : 깨 + ㄹ 거예요 → 깰 거예요

(92) 꾸다 [kkuda]

зүүдлэх

унтаж байхдаа зүүдэндээ жинхэнэ бодит мэтээр харж, сонсож, мэдрэх.

өнгөрсөн цаг : 꾸 + 었어요 → 꾸었어요

одоо : 꾸 + 어요 → 꾸어요

ирээдүй цаг : 꾸 + ㄹ 거예요 → 꿀 거예요

(93) 눕다 [nupda]

ХЭВТЭХ

хүн болон амьтан хажуу хавиргаа ямар нэгэн газарт нааллахаар биеэ хөндлөн хэвтэх.

өнгөрсөн цаг : 눕 + 었어요 → 누웠어요
одоо : 눕 + 어요 → 누워요
ирээдүй цаг : 눕 + ㄹ 거예요 → 누울 거예요

(94) 다녀오다 [danyeooda]

яваад ирэх

ямар нэгэн газар очоод эргэж ирэх.

өнгөрсөн цаг : 다녀오 + 았어요 → 다녀왔어요
одоо : 다녀오 + 아요 → 다녀와요
ирээдүй цаг : 다녀오 + ㄹ 거예요 → 다녀올 거예요

(95) 다니다 [danida]

очих, явах

ямар нэг газар луу байнга ирж очих.

өнгөрсөн цаг : 다니 + 었어요 → 다녔어요
одоо : 다니 + 어요 → 다녀요
ирээдүй цаг : 다니 + ㄹ 거예요 → 다닐 거예요

(96) 닦다 [dakda]

арчих

бохир зүйлийг арилгах гэж үрэх.

өнгөрсөн цаг : 닦 + 았어요 → 닦았어요
одоо : 닦 + 아요 → 닦아요
ирээдүй цаг : 닦 + 을 거예요 → 닦을 거예요

(97) 씻다 [ssitda]

угаах

хиртэж бохирдсон зүйлийг арилгаж цэвэр болгох.

өнгөрсөн цаг : 씻 + 었어요 → 씻었어요
одоо : 씻 + 어요 → 씻어요
ирээдүй цаг : 씻 + 을 거예요 → 씻을 거예요

(98) 일어나다 [ireonada]

босох

нойрноос сэрэх.

өнгөрсөн цаг : 일어나 + 았어요 → 일어났어요
одоо : 일어나 + 아요 → 일어나요
ирээдүй цаг : 일어나 + ㄹ 거예요 → 일어날 거예요

(99) 자다 [jada]

унтах, амрах

нүдээ аньж бие болоод оюун ухааныхаа үйл ажиллагааг зогсоон хэсэг амрах байдалд орох.

өнгөрсөн цаг : 자 + 았어요 → 잤어요
одоо : 자 + 아요 → 자요
ирээдүй цаг : 자 + ㄹ 거예요 → 잘 거예요

(100) 잠자다 [jamjada]

унтах, амрах

бие, ой ухаан үйл ажиллагаагаа зогсоож нэг хэсэг хугацаанд амрах.

өнгөрсөн цаг : 잠자 + 았어요 → 잠잤어요
одоо : 잠자 + 아요 → 잠자요
ирээдүй цаг : 잠자 + ㄹ 거예요 → 잠잘 거예요

(101) 주무시다 [jumusida]

нойрсох

(хүндэтгэлт үг) унтах.

өнгөрсөн цаг : 주무시 + 었어요 → 주무셨어요

одоо : 주무시 + 어요 → 주무셔요

ирээдүй цаг : 주무시 + ㄹ 거예요 → 주무실 거예요

(102) 구경하다 [gugyeonghada]

үзэх, харах, танилцах

шохоорхон, сонирхон харах.

өнгөрсөн цаг : 구경하 + 였어요 → 구경했어요

одоо : 구경하 + 여요 → 구경해요

ирээдүй цаг : 구경하 + ㄹ 거예요 → 구경할 거예요

(103) 그리다 [geurida]

зурах, дүрслэх, буулгах

харандаа, бийр мэтээр аливаа зүйлийг зураас, өнгөөр илэрхийлэх.

өнгөрсөн цаг : 그리 + 었어요 → 그렸어요

одоо : 그리 + 어요 → 그려요

ирээдүй цаг : 그리 + ㄹ 거예요 → 그릴 거예요

(104) 노래하다 [noraehada]

дуулах

хэмнэлд тааруулж зохиосон дууны үгэнд ая хийсэн дууг дуу гарган дуулах.

өнгөрсөн цаг : 노래하 + 였어요 → 노래했어요

одоо : 노래하 + 여요 → 노래해요

ирээдүй цаг : 노래하 + ㄹ 거예요 → 노래할 거예요

(105) 놀다 [nolda]

тоглох, зугаацах, хөгжилдөх, наадах,

цагийг зугаатай өнгөрүүлэх

тоглоом наадам тоглож сонирхолтой, хөгжилтэй өнгөрүүлэх.

өнгөрсөн цаг : 놀 + 았어요 → 놀았어요

одоо : 놀 + 아요 → 놀아요

ирээдүй цаг : 놀 + ㄹ 거예요 → 놀 거예요

(106) 독서하다 [dokseohada]

ном унших

ном унших.

өнгөрсөн цаг : 독서하 + 였어요 → 독서했어요

одоо : 독서하 + 여요 → 독서해요

ирээдүй цаг : 독서하 + ㄹ 거예요 → 독서할 거예요

(107) 등산하다 [deungsanhada]

уулан авирах, уулан гарах

биеийн тамир хийх буюу зугаацах зорилгоор уулан авирах.

өнгөрсөн цаг : 등산하 + 였어요 → 등산했어요

одоо : 등산하 + 여요 → 등산해요

ирээдүй цаг : 등산하 + ㄹ 거예요 → 등산할 거예요

(108) 부르다 [bureuda]

дуулах

нотны дагуу дуу дуулах.

өнгөрсөн цаг : 부르 + 었어요 → 불렀어요

одоо : 부르 + 어요 → 불러요

ирээдүй цаг : 부르 + ㄹ 거예요 → 부를 거예요

(109) 불다 [bulda]

ҮЛЭЭХ

үлээвэр хөгжмийн зэмсгийг амандаа бариад амьсгалаа түрэн чимээ гаргах.

өнгөрсөн цаг : 불 + 었어요 → 불었어요

одоо : 불 + 어요 → 불어요

ирээдүй цаг : 불 + ㄹ 거예요 → 불 거예요

(110) 산책하다 [sanchaekada]

зугаалах, салхилах

түр амрах юмуу эрүүл мэндийнхээ төлөө ойр хавиараа алхах.

өнгөрсөн цаг : 산책하 + 였어요 → 산책했어요

одоо : 산책하 + 여요 → 산책해요

ирээдүй цаг : 산책하 + ㄹ 거예요 → 산책할 거예요

(111) 수영하다 [suyeonghada]

СЭЛЭХ

усан дотор гар хөлөөрөө самардан хөвөх

өнгөрсөн цаг : 수영하 + 였어요 → 수영했어요

одоо : 수영하 + 여요 → 수영해요

ирээдүй цаг : 수영하 + ㄹ 거예요 → 수영할 거예요

(112) 여행하다 [yeohaenghada]

аялах, жуулчлах

гэрээсээ гарч өөр газар нутаг юм уу гадаад орон үзэж сонирхох.

өнгөрсөн цаг : 여행하 + 였어요 → 여행했어요

одоо : 여행하 + 여요 → 여행해요

ирээдүй цаг : 여행하 + ㄹ 거예요 → 여행할 거예요

(113) 운동하다 [undonghada]

биеийн тамирын дасгал хийх

биеэ дасгалжуулах юм уу эрүүл байхын тулд биеэ хөдөлгөх.

өнгөрсөн цаг : 운동하 + 였어요 → 운동했어요
одоо : 운동하 + 여요 → 운동해요
ирээдүй цаг : 운동하 + ㄹ 거예요 → 운동할 거예요

(114) 즐기다 [jeulgida]

таашаал авах, баяр баясгаланг мэдрэх, цэнгэх

ямар нэгэн зүйлийг баяр хөөртэй, сэтгэлээ онгойтол хийх.

өнгөрсөн цаг : 즐기 + 었어요 → 즐겼어요
одоо : 즐기 + 어요 → 즐겨요
ирээдүй цаг : 즐기 + ㄹ 거예요 → 즐길 거예요

(115) 찍다 [jjikda]

зураг авах, дарах

ямар нэгэн зүйлийг зураг авах хэрэгсэлд тусгаж, дүрсийг нь хальсанд буулгах.

өнгөрсөн цаг : 찍 + 었어요 → 찍었어요
одоо : 찍 + 어요 → 찍어요
ирээдүй цаг : 찍 + 을 거예요 → 찍을 거예요

(116) 추다 [chuda]

бүжиглэх

бүжиг хийх.

өнгөрсөн цаг : 추 + 었어요 → 췄어요
одоо : 추 + 어요 → 춰요
ирээдүй цаг : 추 + ㄹ 거예요 → 출 거예요

(117) 춤추다 [chumchuda]

бүжиглэх, бүжих

дуу хөгжим юмуу жигд хэмнэлд тааруулж биеэ хөдөлгөх.

өнгөрсөн цаг : 춤추 + 었어요 → 춤췄어요
одоо : 춤추 + 어요 → 춤춰요
ирээдүй цаг : 춤추 + ㄹ 거예요 → 춤출 거예요

(118) 켜다 [kyeoda]

хуурдах, тоглох

утсан хөгжмийн утсыг нумаар дарж дуу гаргах.

өнгөрсөн цаг : 켜 + 었어요 → 켰어요
одоо : 켜 + 어요 → 켜요
ирээдүй цаг : 켜 + ㄹ 거예요 → 켤 거예요

(119) 타다 [tada]

савлах, савлуурдах, дүүжин даажин тоглох

савлуур болон дүүжин даажин зэрэг тоглоомын хэрэгсэл дээр тоглох.

өнгөрсөн цаг : 타 + 았어요 → 탔어요
одоо : 타 + 아요 → 타요
ирээдүй цаг : 타 + ㄹ 거예요 → 탈 거예요

(120) 검사하다 [geomsahada]

шинжлэх, шалгах

ямар нэгэн ажил буюу зүйлийг судалж зөв буруу ба сайн мууг судалж мэдэх.

өнгөрсөн цаг : 검사하 + 였어요 → 검사했어요
одоо : 검사하 + 여요 → 검사해요
ирээдүй цаг : 검사하 + ㄹ 거예요 → 검사할 거예요

(121) 고치다 [gochida]

засах, эмнэх, эмчлэх

өвчин эмгэгийг эмчилж эдгэрүүлэх.

өнгөрсөн цаг : 고치 + 었어요 → 고쳤어요
одоо : 고치 + 어요 → 고쳐요
ирээдүй цаг : 고치 + ㄹ 거예요 → 고칠 거예요

(122) 바르다 [bareuda]

түрхэх

шингэн ба нунтаг зүйлийг биетийн гадаргууд нялан жигд хучих.

өнгөрсөн цаг : 바르 + 았어요 → 발랐어요
одоо : 바르 + 아요 → 발라요
ирээдүй цаг : 바르 + ㄹ 거예요 → 바를 거예요

(123) 수술하다 [susulhada]

мэс засал хийх, мэс ажилбар хийх

өвчнийг анагаахын зорилгоор биеийн нэг хэсгийг зүсч тайрах буюу залгаж оёх.

өнгөрсөн цаг : 수술하 + 였어요 → 수술했어요
одоо : 수술하 + 여요 → 수술해요
ирээдүй цаг : 수술하 + ㄹ 거예요 → 수술할 거예요

(124) 입원하다 [ibwonhada]

эмнэлэгт хэвтэх

өвчнөө анагаахын тулд тодорхой хугацаанд эмнэлэгт байх.

өнгөрсөн цаг : 입원하 + 였어요 → 입원했어요
одоо : 입원하 + 여요 → 입원해요
ирээдүй цаг : 입원하 + ㄹ 거예요 → 입원할 거예요

(125) 퇴원하다 [toewonhada]

эмнэлгээс гарах

тодорхой хугацаанд эмнэлэгт хэвтэн эмчлүүлсэн өвчтөн эмнэлгээс гарах.

өнгөрсөн цаг : 퇴원하 + 였어요 → **퇴원했어요**

одоо : 퇴원하 + 여요 → **퇴원해요**

ирээдүй цаг : 퇴원하 + ㄹ 거예요 → **퇴원할 거예요**

(126) 먹다 [meokda]

идэх

хоол хүнс зэргийг амаар дамжуулан гэдсэндээ хийх.

өнгөрсөн цаг : 먹 + 었어요 → **먹었어요**

одоо : 먹 + 어요 → **먹어요**

ирээдүй цаг : 먹 + 을 거예요 → **먹을 거예요**

(127) 마시다 [masida]

уух

ус зэргийн зүйлийг амнаас хоолойгоор оруулах.

өнгөрсөн цаг : 마시 + 었어요 → **마셨어요**

одоо : 마시 + 어요 → **마셔요**

ирээдүй цаг : 마시 + ㄹ 거예요 → **마실 거예요**

(128) 굽다 [gupda]

шарах

хоолыг галд болгох.

өнгөрсөн цаг : 굽 + 었어요 → **구웠어요**

одоо : 굽 + 어요 → **구워요**

ирээдүй цаг : 굽 + ㄹ 거예요 → **구울 거예요**

(129) 깎다 [kkakda]

арилгах, зорох

хутга болон түүнтэй адил зүйлээр юмны гадна тал, жимс зэргийн хальсыг нимгэн хэрчиж таслах.

өнгөрсөн цаг : 깎 + 았어요 → 깎았어요
одоо : 깎 + 아요 → 깎아요
ирээдүй цаг : 깎 + 을 거예요 → 깎을 거예요

(130) 끓다 [kkeulta]

буцлах

шингэн зүйл тодорхой температурт халж оргилох байдал

өнгөрсөн цаг : 끓 + 었어요 → 끓었어요
одоо : 끓 + 어요 → 끓어요
ирээдүй цаг : 끓 + 을 거예요 → 끓을 거예요

(131) 끓이다 [kkeurida]

буцалгах, болгох

ус болон шингэн зүйлд хоол хүнсийг хийж буцалган хоол хийх.

өнгөрсөн цаг : 끓이 + 었어요 → 끓였어요
одоо : 끓이 + 어요 → 끓여요
ирээдүй цаг : 끓이 + ㄹ 거예요 → 끓일 거예요

(132) 볶다 [bokda]

хуурах, шарах

ус чийг нь бараг байхгүй хоолыг гал дээр тавьж хольж хутган болгох.

өнгөрсөн цаг : 볶 + 았어요 → 볶았어요
одоо : 볶 + 아요 → 볶아요
ирээдүй цаг : 볶 + 을 거예요 → 볶을 거예요

(133) 섞다 [seokda]

холих, хутгах

хоёроос дээш төрлийн зүйлийг нэг болгон нэгтгэх.

өнгөрсөн цаг : 섞 + 었어요 → 섞었어요

одоо : 섞 + 어요 → 섞어요

ирээдүй цаг : 섞 + 을 거예요 → 섞을 거예요

(134) 썰다 [sseolda]

огтлох, зүсэх, хөшиглөх, хуваах, хэрчих

хутга буюу хөрөөгөөр доош нь дарж ирийг нь нааш цааш хөдөлгөн ямар нэг зүйлийг хэрчих буюу хэсэглэн таслах.

өнгөрсөн цаг : 썰 + 었어요 → 썰었어요

одоо : 썰 + 어요 → 썰어요

ирээдүй цаг : 썰 + ㄹ 거예요 → 썰 거예요

(135) 씹다 [ssipda]

зажлах

хүн, амьтан хоол хүнсийг амандаа хийж, шүдээрээ жижиглэж хуваах болон зөөллөж нунтаглах.

өнгөрсөн цаг : 씹 + 었어요 → 씹었어요

одоо : 씹 + 어요 → 씹어요

ирээдүй цаг : 씹 + 을 거예요 → 씹을 거예요

(136) 익다 [ikda]

болох

мах, ногоо, үр жимс мэт түүхий зүйлийн амт, чанар нь халуун илчний нөлөөгөөр өөрчлөгдөх.

өнгөрсөн цаг : 익 + 었어요 → 익었어요

одоо : 익 + 어요 → 익어요

ирээдүй цаг : 익 + 을 거예요 → 익을 거예요

(137) 찌다 [jjida]

жигнэх

хоолыг халуун уураар болгох буюу халаах.

өнгөрсөн цаг : 찌 + 었어요 → 쪘어요
одоо : 찌 + 어요 → 쪄요
ирээдүй цаг : 찌 + ㄹ 거예요 → 찔 거예요

(138) 타다 [tada]

түлэгдэх, шатах

халууны нөлөөгөөр хар өнгөтэй болж хувиртал хэтэрхий болох.

өнгөрсөн цаг : 타 + 았어요 → 탔어요
одоо : 타 + 아요 → 타요
ирээдүй цаг : 타 + ㄹ 거예요 → 탈 거예요

(139) 튀기다 [twigida]

шарах

буцлаж буй тосонд хийж, хөөлгөх.

өнгөрсөн цаг : 튀기 + 었어요 → 튀겼어요
одоо : 튀기 + 어요 → 튀겨요
ирээдүй цаг : 튀기 + ㄹ 거예요 → 튀길 거예요

(140) 갈아입다 [garaipda]

сольж өмсөх

өмсч байсан хувцсаа тайлж өөр хувцас сольж өмсөх.

өнгөрсөн цаг : 갈아입 + 었어요 → 갈아입었어요
одоо : 갈아입 + 어요 → 갈아입어요
ирээдүй цаг : 갈아입 + 을 거예요 → 갈아입을 거예요

(141) 끼다 [kkida]

зүүх, шургуулах, углах

ямар нэг хэвэнд зүүж унахааргүй байрлуулах.

өнгөрсөн цаг : 끼 + 었어요 → 꼈어요

одоо : 끼 + 어요 → 껴요

ирээдүй цаг : 끼 + ㄹ 거예요 → 낄 거예요

(142) 매다 [maeda]

уях, зангидах

оосрын хоёр үзүүрийг хоорондоо салах буюу тайлагдахгүйгээр холбон уях.

өнгөрсөн цаг : 매 + 었어요 → 맸어요

одоо : 매 + 어요 → 매요

ирээдүй цаг : 매 + ㄹ 거예요 → 맬 거예요

(143) 벗다 [beotda]

тайлах, нүцэглэх

хүний биед байсан эд зүйл болон хувцас зэргийг биеэс салгаж холдуулах.

өнгөрсөн цаг : 벗 + 었어요 → 벗었어요

одоо : 벗 + 어요 → 벗어요

ирээдүй цаг : 벗 + 을 거예요 → 벗을 거예요

(144) 신다 [sinda]

өмсөх

оймс болон гутланд хөлөө хийж хөлийг бүгдийг нь юмуу хэсгийг нь далдлах.

өнгөрсөн цаг : 신 + 었어요 → 신었어요

одоо : 신 + 어요 → 신어요

ирээдүй цаг : 신 + 을 거예요 → 신을 거예요

(145) 쓰다 [sseuda]

өмсөх, зүүх, углах

малгай, хиймэл үс зэргийг толгойдоо өмсөх буюу углах.

өнгөрсөн цаг : 쓰 + 었어요 → 썼어요

одоо : 쓰 + 어요 → 써요

ирээдүй цаг : 쓰 + ㄹ 거예요 → 쓸 거예요

(146) 입다 [ipda]

өмсөх

хувцсыг биедээ углах буюу биеэ opoox.

өнгөрсөн цаг : 입 + 었어요 → 입었어요

одоо : 입 + 어요 → 입어요

ирээдүй цаг : 입 + 을 거예요 → 입을 거예요

(147) 차다 [chada]

зүүх

эд юмийг бэлхүүс, гар, хөлийн бугуйд углаж, тогтоох.

өнгөрсөн цаг : 차 + 았어요 → 찼어요

одоо : 차 + 아요 → 차요

ирээдүй цаг : 차 + ㄹ 거예요 → 찰 거예요

(148) 기르다 [gireuda]

ургуулах

үс сахлаа ургуулах.

өнгөрсөн цаг : 기르 + 었어요 → 길렀어요

одоо : 기르 + 어요 → 길러요

ирээдүй цаг : 기르 + ㄹ 거예요 → 기를 거예요

(149) 깎다 [kkakda]

тайрах, хэрчих, хадах, богиносгох

өвс ногоо, үс ноос мэтийг хэрчиж богино болгох.

өнгөрсөн цаг : 깎 + 았어요 → 깎았어요

одоо : 깎 + 아요 → 깎아요

ирээдүй цаг : 깎 + 을 거예요 → 깎을 거예요

(150) 드라이하다 [deuraihada]

үсээ сэнсдэх, үсээ хатаах

салхи үлээдэг цахилгаан багаж төхөөрөмжийг ашиглан үсээ хатаах юмуу янзлах.

өнгөрсөн цаг : 드라이하 + 였어요 → 드라이했어요

одоо : 드라이하 + 여요 → 드라이해요

ирээдүй цаг : 드라이하 + ㄹ 거예요 → 드라이할 거예요

(151) 면도하다 [myeondohada]

сахлаа авах, сахлаа хусах, үс хусах

нүүр, биенд ургасан сахал, үсийг тайрах, хусах.

өнгөрсөн цаг : 면도하 + 였어요 → 면도했어요

одоо : 면도하 + 여요 → 면도해요

ирээдүй цаг : 면도하 + ㄹ 거예요 → 면도할 거예요

(152) 빗다 [bitda]

самнах

үс, даахийг самаар болон гараар жигдхэн янзлах.

өнгөрсөн цаг : 빗 + 었어요 → 빗었어요

одоо : 빗 + 어요 → 빗어요

ирээдүй цаг : 빗 + 을 거예요 → 빗을 거예요

(153) 염색하다 [yeomsaekada]

будах, будганд оруулах

даавуу, утас, үс зэргийг өнгөнд оруулах.

өнгөрсөн цаг : 염색하 + 였어요 → **염색했어요**
одоо : 염색하 + 여요 → **염색해요**
ирээдүй цаг : 염색하 + ㄹ 거예요 → **염색할 거예요**

(154) 이발하다 [ibalhada]

үс засах

үс тайрч янзлах.

өнгөрсөн цаг : 이발하 + 였어요 → **이발했어요**
одоо : 이발하 + 여요 → **이발해요**
ирээдүй цаг : 이발하 + ㄹ 거예요 → **이발할 거예요**

(155) 파마하다 [pamahada]

үсэнд хими хийх, үс химидэх

техник болон хороор үсийг буржгар болгох юмуу шулуун болгон удаан хугацаанд тийм байдал хадгалагдахаар байлгах.

өнгөрсөн цаг : 파마하 + 였어요 → **파마했어요**
одоо : 파마하 + 여요 → **파마해요**
ирээдүй цаг : 파마하 + ㄹ 거예요 → **파마할 거예요**

(156) 화장하다 [hwajanghada]

будаж шунхдах, нүүрээ будах

гоо сайхны бүтээгдэхүүн түрхэх болон тавьж нүүр царайгаа хөөрхөн болгож гоёх.

өнгөрсөн цаг : 화장하 + 였어요 → **화장했어요**
одоо : 화장하 + 여요 → **화장해요**
ирээдүй цаг : 화장하 + ㄹ 거예요 → **화장할 거예요**

(157) 이사하다 [isahada]

НҮҮХ, ШИЛЖИН СУУХ

амьдарч байсан газраа орхиж өөр газар луу шилжин суух.

өнгөрсөн цаг : 이사하 + 였어요 → 이사했어요

одоо : 이사하 + 여요 → 이사해요

ирээдүй цаг : 이사하 + ㄹ 거예요 → 이사할 거예요

(158) 머무르다 [meomureuda]

байх, байрлах

замдаа зогсох буюу хэсэг хугацаанд ямар нэг газар байрлах.

өнгөрсөн цаг : 머무르 + 었어요 → 머물렀어요

одоо : 머무르 + 어요 → 머물러요

ирээдүй цаг : 머무르 + ㄹ 거예요 → 머무를 거예요

(159) 묵다 [mukda]

байрлах, буудаллах, хонох, хоноглох

хаа нэгтээ зочлон саатах.

өнгөрсөн цаг : 묵 + 었어요 → 묵었어요

одоо : 묵 + 어요 → 묵어요

ирээдүй цаг : 묵 + 을 거예요 → 묵을 거예요

(160) 숙박하다 [sukbakada]

байрлах, хоноглох, буух, буудаллах

дэн буудал, зочид буудал зэрэгт байрлаж хоноглох.

өнгөрсөн цаг : 숙박하 + 였어요 → 숙박했어요

одоо : 숙박하 + 여요 → 숙박해요

ирээдүй цаг : 숙박하 + ㄹ 거예요 → 숙박할 거예요

(161) 체류하다 [cheryuhada]

오르쉰 суух

гэрээ орхин өөр газар суурьших.

өнгөрсөн цаг : 체류하 + 였어요 → 체류했어요
одоо : 체류하 + 여요 → 체류해요
ирээдүй цаг : 체류하 + ㄹ 거예요 → 체류할 거예요

(162) 걸다 [geolda]

өлгөх, зүүх

ямар нэг зүйлийг унахгүйгээр хаа нэгтээ зүүж өлгөх.

өнгөрсөн цаг : 걸 + 었어요 → 걸었어요
одоо : 걸 + 어요 → 걸어요
ирээдүй цаг : 걸 + ㄹ 거예요 → 걸 거예요

(163) 고치다 [gochida]

засах

эвдэрч гэмтсэн зүйлийг сэлбэж янзлан хэвийн байдалд нь эргээж оруулах.

өнгөрсөн цаг : 고치 + 었어요 → 고쳤어요
одоо : 고치 + 어요 → 고쳐요
ирээдүй цаг : 고치 + ㄹ 거예요 → 고칠 거예요

(164) 끄다 [kkeuda]

унтраах, дарах

асч байгаа галыг асахааргүй болгох.

өнгөрсөн цаг : 끄 + 었어요 → 껐어요
одоо : 끄 + 어요 → 꺼요
ирээдүй цаг : 끄 + ㄹ 거예요 → 끌 거예요

(165) 빨다 [ppalda]

угаах

хувцас зэргийг усанд хийж, гараараа нухах буюу угаалгын машиныг ашиглан хир буртагий нь арилгах.

өнгөрсөн цаг : 빨 + 았어요 → 빨았어요

одоо : 빨 + 아요 → 빨아요

ирээдүй цаг : 빨 + ㄹ 거예요 → 빨 거예요

(166) 설거지하다 [seolgeojihada]

аяга таваг угаах

хоол идсэний дараа аяга таваг угаах.

өнгөрсөн цаг : 설거지하 + 였어요 → 설거지했어요

одоо : 설거지하 + 여요 → 설거지해요

ирээдүй цаг : 설거지하 + ㄹ 거예요 → 설거지할 거예요

(167) 세탁하다 [setakada]

хувцас угаах, угаалга хийх

хиртэй хувцас зэргийг угаах.

өнгөрсөн цаг : 세탁하 + 였어요 → 세탁했어요

одоо : 세탁하 + 여요 → 세탁해요

ирээдүй цаг : 세탁하 + ㄹ 거예요 → 세탁할 거예요

(168) 정리하다 [jeongnihada]

эмхлэх, цэгцлэх, янзлах

тарж бутарсан болон замбараагүй байдалтай байгаа зүйлийг нэг талд цуглуулах, эмхэлж цэгцлэх.

өнгөрсөн цаг : 정리하 + 였어요 → 정리했어요

одоо : 정리하 + 여요 → 정리해요

ирээдүй цаг : 정리하 + ㄹ 거예요 → 정리할 거예요

(169) 청소하다 [cheongsohada]

цэвэрлэгээ хийх, цэвэрлэх

бохир заваан зүйлийг цэвэрлэх.

өнгөрсөн цаг : 청소하 + 였어요 → 청소했어요

одоо : 청소하 + 여요 → 청소해요

ирээдүй цаг : 청소하 + ㄹ 거예요 → 청소할 거예요

(170) 켜다 [kyeoda]

асаах

дэнлүү болон лаа зэрэгт гал асаах юмуу шүдэнз, асаагуур зэргээр гал ноцоох.

өнгөрсөн цаг : 켜 + 었어요 → 켰어요

одоо : 켜 + 어요 → 켜요

ирээдүй цаг : 켜 + ㄹ 거예요 → 켤 거예요

(171) 말리다 [mallida]

хатаах, сэврээх

нойтон чийгийг нь бүгдийг нь байхгүй болгох.

өнгөрсөн цаг : 말리 + 었어요 → 말렸어요

одоо : 말리 + 어요 → 말려요

ирээдүй цаг : 말리 + ㄹ 거예요 → 말릴 거예요

(172) 삶다 [samda]

чанах, болгох

усанд хийж буцалгах.

өнгөрсөн цаг : 삶 + 았어요 → 삶았어요

одоо : 삶 + 아요 → 삶아요

ирээдүй цаг : 삶 + 을 거예요 → 삶을 거예요

(173) 쓸다 [sseulda]

ШҮҮРДЭХ, ЦЭВЭРЛЭХ

шүүрдэн нэг дор цуглуулах.

өнгөрсөн цаг : 쓸 + 었어요 → 쓸었어요

одоо : 쓸 + 어요 → 쓸어요

ирээдүй цаг : 쓸 + ㄹ 거예요 → 쓸 거예요

(174) 가져가다 [gajeogada]

авч явах

ямар нэг зүйлийг нэг газраас нөгөө рүү шилжүүлэх.

өнгөрсөн цаг : 가져가 + 았어요 → 가져갔어요

одоо : 가져가 + 아요 → 가져가요

ирээдүй цаг : 가져가 + ㄹ 거예요 → 가져갈 거예요

(175) 가져오다 [gajeooda]

авч ирэх, авчрах

ямар нэг зүйлийг нэг газраас нөгөө рүү шилжүүлэн авчрах.

өнгөрсөн цаг : 가져오 + 았어요 → 가져왔어요

одоо : 가져오 + 아요 → 가져와요

ирээдүй цаг : 가져오 + ㄹ 거예요 → 가져올 거예요

(176) 거절하다 [geojeolhada]

татгалзах, дургүйцэх

бусдын гуйлт буюу хүсэлт, бэлэг зэргийг хүлээж авахгүй байх.

өнгөрсөн цаг : 거절하 + 였어요 → 거절했어요

одоо : 거절하 + 여요 → 거절해요

ирээдүй цаг : 거절하 + ㄹ 거예요 → 거절할 거예요

(177) 걸다 [geolda]

залгах

утсаар ярих.

өнгөрсөн цаг : 걸 + 었어요 → 걸었어요
одоо : 걸 + 어요 → 걸어요
ирээдүй цаг : 걸 + ㄹ 거예요 → 걸 거예요

(178) 기다리다 [gidarida]

хүлээх

хүн ирэх цаг үе болох юмуу ямар нэг зүйл бий болох хүртэлх цаг хугацааг өнгөрүүлэх.

өнгөрсөн цаг : 기다리 + 었어요 → 기다렸어요
одоо : 기다리 + 어요 → 기다려요
ирээдүй цаг : 기다리 + ㄹ 거예요 → 기다릴 거예요

(179) 나누다 [nanuda]

салах ёс гүйцэтгэх, ярилцах, солилцох, мэндлэх

харилцан ярьж хөөрөх буюу мэндэлж ёслох.

өнгөрсөн цаг : 나누 + 었어요 → 나눴어요
одоо : 나누 + 어요 → 나눠요
ирээдүй цаг : 나누 + ㄹ 거예요 → 나눌 거예요

(180) 데려가다 [deryeogada]

дагуулж явах

өөрөө дагуулж, хамт явах.

өнгөрсөн цаг : 데려가 + 았어요 → 데려갔어요
одоо : 데려가 + 아요 → 데려가요
ирээдүй цаг : 데려가 + ㄹ 거예요 → 데려갈 거예요

(181) 데려오다 [deryeooda]

дагуулж ирэх

хамт ирэх.

өнгөрсөн цаг : 데려오 + 았어요 → 데려왔어요
одоо : 데려오 + 아요 → 데려와요
ирээдүй цаг : 데려오 + ㄹ 거예요 → 데려올 거예요

(182) 데이트하다 [deiteuhada]

болзох

эрэгтэй эмэгтэй хоёр үерхэхээр уулзах.

өнгөрсөн цаг : 데이트하 + 였어요 → 데이트했어요
одоо : 데이트하 + 여요 → 데이트해요
ирээдүй цаг : 데이트하 + ㄹ 거예요 → 데이트할 거예요

(183) 도와주다 [dowajuda]

туслах, дэмжих

бусдын ажилд хүч гарган дэм болох

өнгөрсөн цаг : 도와주 + 었어요 → 도와줬어요
одоо : 도와주 + 어요 → 도와줘요
ирээдүй цаг : 도와주 + ㄹ 거예요 → 도와줄 거예요

(184) 돌려주다 [dollyeojuda]

буцааж өгөх, төлөх, эргүүлж өгөх

түр зээлэх юм уу булаан авсан бусдын эд зүйлийг эзэнд нь эргүүлж өгөх юм уу төлөх.

өнгөрсөн цаг : 돌려주 + 었어요 → 돌려줬어요
одоо : 돌려주 + 어요 → 돌려줘요
ирээдүй цаг : 돌려주 + ㄹ 거예요 → 돌려줄 거예요

(185) 돕다 [dopda]

туслах, дэмжих

бусдын хийж буй ажилд тус нэмэр болох.

өнгөрсөн цаг : 돕 + 았어요 → 도왔어요
одоо : 돕 + 아요 → 도와요
ирээдүй цаг : 돕 + ㄹ 거예요 → 도울 거예요

(186) 드리다 [deurida]

өргөх, барих

(хүндэтгэлт үг) өгөх. ямар нэгэн зүйлийг хэн нэгэнд өгөх байдал

өнгөрсөн цаг : 드리 + 었어요 → 드렸어요
одоо : 드리 + 어요 → 드려요
ирээдүй цаг : 드리 + ㄹ 거예요 → 드릴 거예요

(187) 만나다 [mannada]

учрах, уулзах

хэн нэгэн нь ирж очин хоёр хүн бие биенийхээ өөдөөс харан харьцах.

өнгөрсөн цаг : 만나 + 았어요 → 만났어요
одоо : 만나 + 아요 → 만나요
ирээдүй цаг : 만나 + ㄹ 거예요 → 만날 거예요

(188) 바꾸다 [bakkuda]

солих

өмнө байсан зүйлийг өөр зүйлээр сэлгэж өөрчлөх.

өнгөрсөн цаг : 바꾸 + 었어요 → 바꿨어요
одоо : 바꾸 + 어요 → 바꿔요
ирээдүй цаг : 바꾸 + ㄹ 거예요 → 바꿀 거예요

(189) 받다 [batda]

авах

бусдын өгсөн болон явуулсан зүйлийг авах.

өнгөрсөн цаг : 받 + 았어요 → 받았어요
одоо : 받 + 아요 → 받아요
ирээдүй цаг : 받 + 을 거예요 → 받을 거예요

(190) 방문하다 [bangmunhada]

зочлох, айлчлах

хэн нэгэнтэй уулзах юмуу ямар нэг зүйл харж үзэхийн тулд аль нэг газарт очих.

өнгөрсөн цаг : 방문하 + 였어요 → 방문했어요
одоо : 방문하 + 여요 → 방문해요
ирээдүй цаг : 방문하 + ㄹ 거예요 → 방문할 거예요

(191) 보내다 [bonaeda]

илгээх, явуулах, гуйвуулах

хүн буюу эд зүйл зэргийг өөр газар руу явуулах.

өнгөрсөн цаг : 보내 + 었어요 → 보냈어요
одоо : 보내 + 어요 → 보내요
ирээдүй цаг : 보내 + ㄹ 거예요 → 보낼 거예요

(192) 보다 [boda]

үзэж харах, үзэн танилцах, авч үзэх, харах, мэдрэх,

харж мэдрэх

нүдээрээ юмыг харж таашаах буюу үзэж сонирхох.

өнгөрсөн цаг : 보 + 았어요 → 봤어요
одоо : 보 + 아요 → 봐요
ирээдүй цаг : 보 + ㄹ 거예요 → 볼 거예요

(193) 뵈다 [boeda]

уулзах, бараалхах

ахмад дээд хүнтэй уулзах.

өнгөрсөн цаг : 뵈 + 었어요 → 뵀어요
одоо : 뵈 + 어요 → 봬요
ирээдүй цаг : 뵈 + ㄹ 거예요 → 뵐 거예요

(194) 부탁하다 [butakada]

гуйх, хүсэх

ямар нэг ажил хэргийг хийж өгөөч гэх юмуу даалгах.

өнгөрсөн цаг : 부탁하 + 였어요 → 부탁했어요
одоо : 부탁하 + 여요 → 부탁해요
ирээдүй цаг : 부탁하 + ㄹ 거예요 → 부탁할 거예요

(195) 사귀다 [sagwida]

найзлах, үерхэх

бие биесээ танилж мэдэн ойртон нөхөрлөх.

өнгөрсөн цаг : 사귀 + 었어요 → 사귀었어요
одоо : 사귀 + 어요 → 사귀어요
ирээдүй цаг : 사귀 + ㄹ 거예요 → 사귈 거예요

(196) 세배하다 [sebaehada]

мэндчилэлт, золголт

солонгос үндэсний цагаан сараар ахмад хүнтэй мэндчилэн ёслох явдал.

өнгөрсөн цаг : 세배하 + 였어요 → 세배했어요
одоо : 세배하 + 여요 → 세배해요
ирээдүй цаг : 세배하 + ㄹ 거예요 → 세배할 거예요

(197) 소개하다 [sogaehada]

зууучлах, танилцуулах

бие биесээ танихгүй хүмүүсийг хооронд нь танилцуулан холбоо тогтоож өгөх.

өнгөрсөн цаг : 소개하 + 였어요 → 소개했어요

одоо : 소개하 + 여요 → 소개해요

ирээдүй цаг : 소개하 + ㄹ 거예요 → 소개할 거예요

(198) 신청하다 [sincheonghada]

хүсэлт гаргах, өргөдөл гаргах, мэдүүлэг өгөх

холбоо, байгууллага зэргээс ямар нэг ажил хийж өгөхийг албан ёсоор хүсэх.

өнгөрсөн цаг : 신청하 + 였어요 → 신청했어요

одоо : 신청하 + 여요 → 신청해요

ирээдүй цаг : 신청하 + ㄹ 거예요 → 신청할 거예요

(199) 실례하다 [sillyehada]

буруу зүйл хийх, ёс бус зүйл хийх

үг хэл, үйл хөдлөл нь ёс журамд үл нийцэх.

өнгөрсөн цаг : 실례하 + 였어요 → 실례했어요

одоо : 실례하 + 여요 → 실례해요

ирээдүй цаг : 실례하 + ㄹ 거예요 → 실례할 거예요

(200) 싸우다 [ssauda]

хэрэлдэх, маргалдах, тэмцэх, муудалцах

ам хэл, хүчээр дийлэх гэж үзэлцэх.

өнгөрсөн цаг : 싸우 + 었어요 → 싸웠어요

одоо : 싸우 + 어요 → 싸워요

ирээдүй цаг : 싸우 + ㄹ 거예요 → 싸울 거예요

(201) 안내하다 [annaehada]

танилцуулах, зааварчлах

ямар нэгэн зүйлийг танилцуулж мэдэгдэх.

өнгөрсөн цаг : 안내하 + 였어요 → **안내했어요**

одоо : 안내하 + 여요 → **안내해요**

ирээдүй цаг : 안내하 + ㄹ 거예요 → **안내할 거예요**

(202) 약속하다 [yaksokada]

болзох, товлох, тохирох

хэн нэгэн хүнтэй ямар нэгэн ажил хийхээр урьдчилан тогтох.

өнгөрсөн цаг : 약속하 + 였어요 → **약속했어요**

одоо : 약속하 + 여요 → **약속해요**

ирээдүй цаг : 약속하 + ㄹ 거예요 → **약속할 거예요**

(203) 얻다 [eotda]

олох, олж авах

онцгой хичээл зүтгэл буюу үнэ хөлсгүйгээр авч, өөрийн болгох.

өнгөрсөн цаг : 얻 + 었어요 → **얻었어요**

одоо : 얻 + 어요 → **얻어요**

ирээдүй цаг : 얻 + 을 거예요 → **얻을 거예요**

(204) 연락하다 [yeollakada]

холбоо барих, мэдэгдэх

ямар нэг үнэн бодит зүйлийг дамжуулан мэдэгдэх.

өнгөрсөн цаг : 연락하 + 였어요 → **연락했어요**

одоо : 연락하 + 여요 → **연락해요**

ирээдүй цаг : 연락하 + ㄹ 거예요 → **연락할 거예요**

(205) 이기다 [igida]

ялах

мөрийцөх болон уралдаан тэмцээн, хэрүүл зодоонд эсрэг талыг буулган авч, хүссбэн үр дү ндээ хүрэх.

өнгөрсөн цаг : 이기 + 었어요 → 이겼어요

одоо : 이기 + 어요 → 이겨요

ирээдүй цаг : 이기 + ㄹ 거예요 → 이길 거예요

(206) 인사하다 [insahada]

мэндлэх, салах ёс хийх

уулзах буюу салж явахдаа хүндэтгэл илэрхийлэх.

өнгөрсөн цаг : 인사하 + 였어요 → 인사했어요

одоо : 인사하 + 여요 → 인사해요

ирээдүй цаг : 인사하 + ㄹ 거예요 → 인사할 거예요

(207) 전하다 [jeonhada]

дамжуулах, хүргүүлэх, хэлүүлэх

ямар нэгэн зүйлийг нөгөө хүндээ дамжуулж өгөх.

өнгөрсөн цаг : 전하 + 였어요 → 전했어요

одоо : 전하 + 여요 → 전해요

ирээдүй цаг : 전하 + ㄹ 거예요 → 전할 거예요

(208) 정하다 [jeonghada]

товлох

олон зүйл дундаас нэгийг сонгох.

өнгөрсөн цаг : 정하 + 였어요 → 정했어요

одоо : 정하 + 여요 → 정해요

ирээдүй цаг : 정하 + ㄹ 거예요 → 정할 거예요

(209) 주다 [juda]

өгөх

эд юм зэргийг бусдад дамжуулан өгөх ба хэрэглүүлэх.

өнгөрсөн цаг : 주 + 었어요 → 줬어요
одоо : 주 + 어요 → 줘요
ирээдүй цаг : 주 + ㄹ 거예요 → 줄 거예요

(210) 지다 [jida]

ялагдах, хожигдох, дийлдэх

уралдаан, тэмцэл зэрэгт эсрэг талаа ялж чадахгүй байх.

өнгөрсөн цаг : 지 + 었어요 → 졌어요
одоо : 지 + 어요 → 져요
ирээдүй цаг : 지 + ㄹ 거예요 → 질 거예요

(211) 지키다 [jikida]

сахих, мөрдөх

амалсан амлалт, хууль, ёс дүрмийг зөрчилгүй сайн баримтлах.

өнгөрсөн цаг : 지키 + 었어요 → 지켰어요
одоо : 지키 + 어요 → 지켜요
ирээдүй цаг : 지키 + ㄹ 거예요 → 지킬 거예요

(212) 찾아가다 [chajagada]

зорьж очих, уулзахаар очих

хүнтэй уулзах юм уу ямар нэг ажил хийхээр явах.

өнгөрсөн цаг : 찾아가 + 았어요 → 찾아갔어요
одоо : 찾아가 + 아요 → 찾아가요
ирээдүй цаг : 찾아가 + ㄹ 거예요 → 찾아갈 거예요

(213) 찾아오다 [chajaoda]

ирэх, уулзахаар ирэх

хүнтэй уулзах юм уу ямар нэг зүйлийг хийхээр ирэх.

өнгөрсөн цаг : 찾아오 + 았어요 → 찾아왔어요
одоо : 찾아오 + 아요 → 찾아와요
ирээдүй цаг : 찾아오 + ㄹ 거예요 → 찾아올 거예요

(214) 초대하다 [chodaehada]

урих, залах

бусад хүнд ямар нэгэн газар, цуглаан, арга хэмжээ зэрэгт ирж оролцохыг хүсэх.

өнгөрсөн цаг : 초대하 + 였어요 → 초대했어요
одоо : 초대하 + 여요 → 초대해요
ирээдүй цаг : 초대하 + ㄹ 거예요 → 초대할 거예요

(215) 축하하다 [chukahada]

баяр хүргэх

бусдын сайн сайхан зүйлд баярласан сэтгэлээр мэндчилгээ хүргэх.

өнгөрсөн цаг : 축하하 + 였어요 → 축하했어요
одоо : 축하하 + 여요 → 축하해요
ирээдүй цаг : 축하하 + ㄹ 거예요 → 축하할 거예요

(216) 취소하다 [chwisohada]

цуцлах, хүчингүй болгох

аль хэдийн зарласан зүйлийг болиулах юмуу амласан болон урьдчилан тогтсон зүйлийг үг үй болгох.

өнгөрсөн цаг : 취소하 + 였어요 → 취소했어요
одоо : 취소하 + 여요 → 취소해요
ирээдүй цаг : 취소하 + ㄹ 거예요 → 취소할 거예요

(217) 헤어지다 [heeojida]

салах, хагацах

хамт байсан хүнээсээ салж холдох.

өнгөрсөн цаг : 헤어지 + 었어요 → 헤어졌어요
одоо : 헤어지 + 어요 → 헤어져요
ирээдүй цаг : 헤어지 + ㄹ 거예요 → 헤어질 거예요

(218) 환영하다 [hwanyeonghada]

баяртайгаар угтах

ирсэн хүнийг хөөр баяртайгаар хүлээн авах.

өнгөрсөн цаг : 환영하 + 였어요 → 환영했어요
одоо : 환영하 + 여요 → 환영해요
ирээдүй цаг : 환영하 + ㄹ 거예요 → 환영할 거예요

(219) 갈아타다 [garatada]

сольж суух, сольж унах

сууж явсан унаанаасаа бууж өөр унаанд сэлгэж суух.

өнгөрсөн цаг : 갈아타 + 았어요 → 갈아탔어요
одоо : 갈아타 + 아요 → 갈아타요
ирээдүй цаг : 갈아타 + ㄹ 거예요 → 갈아탈 거예요

(220) 건너가다 [geonneogada]

цаад талд нь гарах, хөндлөн гарах

гол ба гүүр зам зэргийн наанаас цаана нь гарах.

өнгөрсөн цаг : 건너가 + 았어요 → 건너갔어요
одоо : 건너가 + 아요 → 건너가요
ирээдүй цаг : 건너가 + ㄹ 거예요 → 건너갈 거예요

(221) 건너다 [geonneoda]

гатлах, гаталж гарах

ямар нэгэн зүйлийг давах буюу өнгөрч нөгөө талд нь гарах.

өнгөрсөн цаг : 건너 + 었어요 → 건넜어요
одоо : 건너 + 어요 → 건너요
ирээдүй цаг : 건너 + ㄹ 거예요 → 건널 거예요

(222) 내리다 [naerida]

буух, хүрэх, ирэх

сууж байсан зүйлээсээ гадагш гарч ямар нэгэн газарт хүрэх.

өнгөрсөн цаг : 내리 + 었어요 → 내렸어요
одоо : 내리 + 어요 → 내려요
ирээдүй цаг : 내리 + ㄹ 거예요 → 내릴 거예요

(223) 도착하다 [dochakada]

хүрэх

зорьсон газраа очих.

өнгөрсөн цаг : 도착하 + 였어요 → 도착했어요
одоо : 도착하 + 여요 → 도착해요
ирээдүй цаг : 도착하 + ㄹ 거예요 → 도착할 거예요

(224) 막히다 [makida]

зам бөглөрөх

зам дээр олон машин бөөгнөрснөөс машинууд явж чадахгүй зогсох.

өнгөрсөн цаг : 막히 + 었어요 → 막혔어요
одоо : 막히 + 어요 → 막혀요
ирээдүй цаг : 막히 + ㄹ 거예요 → 막힐 거예요

(225) 안전하다 [anjeonhada]

аюулгүй байх, бат найдвартай байх

аюул учрахгүй буюу осол гарах зовлонгүй байх.

өнгөрсөн цаг : 안전하 + 였어요 → **안전했어요**

одоо : 안전하 + 여요 → **안전해요**

ирээдүй цаг : 안전하 + ㄹ 거예요 → **안전할 거예요**

(226) 운전하다 [unjeonhada]

жолоодох, ажиллуулах

машин, тоног төхөөрөмжийг хөдөлгөж ажиллуулах.

өнгөрсөн цаг : 운전하 + 였어요 → **운전했어요**

одоо : 운전하 + 여요 → **운전해요**

ирээдүй цаг : 운전하 + ㄹ 거예요 → **운전할 거예요**

(227) 위험하다 [wiheomhada]

аюултай

хор хөнөөл амсах буюу гэмтэж бэртэх магадтай учир тайван амгалан байж чадахгүй байх.

өнгөрсөн цаг : 위험하 + 였어요 → **위험했어요**

одоо : 위험하 + 여요 → **위험해요**

ирээдүй цаг : 위험하 + ㄹ 거예요 → **위험할 거예요**

(228) 주차하다 [juchahada]

тавих

машин зэргийг тодорхой газар зогсоох.

өнгөрсөн цаг : 주차하 + 였어요 → **주차했어요**

одоо : 주차하 + 여요 → **주차해요**

ирээдүй цаг : 주차하 + ㄹ 거예요 → **주차할 거예요**

(229) 출발하다 [chulbalhada]

хөдлөх, явах, гарах

ямар нэгэн газрыг чиглэн явах.

өнгөрсөн цаг : 출발하 + 였어요 → 출발했어요
одоо : 출발하 + 여요 → 출발해요
ирээдүй цаг : 출발하 + ㄹ 거예요 → 출발할 거예요

(230) 타다 [tada]

унах, суух

тээврийн хэрэгсэлд сууж явах, мал амьтны нуруунд мордож явах.

өнгөрсөн цаг : 타 + 았어요 → 탔어요
одоо : 타 + 아요 → 타요
ирээдүй цаг : 타 + ㄹ 거예요 → 탈 거예요

(231) 출근하다 [chulgeunhada]

ажилдаа явах, ажилдаа ирэх

ажил хийхээр албан ажилдаа явах болон ирэх.

өнгөрсөн цаг : 출근하 + 였어요 → 출근했어요
одоо : 출근하 + 여요 → 출근해요
ирээдүй цаг : 출근하 + ㄹ 거예요 → 출근할 거예요

(232) 출퇴근하다 [chultoegeunhada]

ажлаас ирж очих, ажил цуглах тарах

ажилд явах болон ажлаас тарж ирэх.

өнгөрсөн цаг : 출퇴근하 + 였어요 → 출퇴근했어요
одоо : 출퇴근하 + 여요 → 출퇴근해요
ирээдүй цаг : 출퇴근하 + ㄹ 거예요 → 출퇴근할 거예요

(233) 취직하다 [chwijikada]

ажилд орох, ажилтай болох

тогтсон ажил олж ажлын байртай болох.

өнгөрсөн цаг : 취직하 + 였어요 → 취직했어요
одоо : 취직하 + 여요 → 취직해요
ирээдүй цаг : 취직하 + ㄹ 거예요 → 취직할 거예요

(234) 퇴근하다 [toegeunhada]

ажлаас тарах, ажлаас ирэх

ажлын газраас ажлаа дуусгаж гэр рүүгээ буцах буюу буцаж ирэх.

өнгөрсөн цаг : 퇴근하 + 였어요 → 퇴근했어요
одоо : 퇴근하 + 여요 → 퇴근해요
ирээдүй цаг : 퇴근하 + ㄹ 거예요 → 퇴근할 거예요

(235) 회의하다 [hoeuihada]

хуралдах, хэлэлцэх, зөвлөлдөх

олуулаа цугларч хэлэлцэх.

өнгөрсөн цаг : 회의하 + 였어요 → 회의했어요
одоо : 회의하 + 여요 → 회의해요
ирээдүй цаг : 회의하 + ㄹ 거예요 → 회의할 거예요

(236) 거짓말하다 [geojinmalhada]

худал ярих, худлаа хэлэх

үнэн бус зүйлийг үнэн мэт болгож зохион ярих.

өнгөрсөн цаг : 거짓말하 + 였어요 → 거짓말했어요
одоо : 거짓말하 + 여요 → 거짓말해요
ирээдүй цаг : 거짓말하 + ㄹ 거예요 → 거짓말할 거예요

(237) 농담하다 [nongdamhada]

тоглоом наргиан хийх, тоглоом шоглоом хийх

бусдад гайхуулах ба инээлгэх гэж тоглож хэлэх, хэн нэгнийг тоглож байгаа байдлаар үл ялиг дорд үзэх

өнгөрсөн цаг : 농담하 + 였어요 → **농담했어요**

одоо : 농담하 + 여요 → **농담해요**

ирээдүй цаг : 농담하 + ㄹ 거예요 → **농담할 거예요**

(238) 대답하다 [daedapada]

хариулах

асууж шаардсан зүйлд хариу хэлэх.

өнгөрсөн цаг : 대답하 + 였어요 → **대답했어요**

одоо : 대답하 + 여요 → **대답해요**

ирээдүй цаг : 대답하 + ㄹ 거예요 → **대답할 거예요**

(239) 대화하다 [daehwahada]

ярилцах, хөөрөлдөх, хуучлах

нүүр нүүрээ харан ярилцах.

өнгөрсөн цаг : 대화하 + 였어요 → **했어요**

одоо : 대화하 + 여요 → **해요**

ирээдүй цаг : 대화하 + ㄹ 거예요 → **할 거예요**

(240) 드리다 [deurida]

айлтгах

хүндэтгэлтэй хэн нэгэнд үг хэлэх буюу түүний мэндийг асуух.

өнгөрсөн цаг : 드리 + 었어요 → **드렸어요**

одоо : 드리 + 어요 → **드려요**

ирээдүй цаг : 드리 + ㄹ 거예요 → **드릴 거예요**

(241) 말하다 [malhada]

ярих, өгүүлэх, хэлэх, өчих

ямар нэгэн бодит зүйлийн талаар болон өөрийн бодол санаа, мэдрэмжийг үгээр илэрхийлэх.

өнгөрсөн цаг : 말하 + 였어요 → 말했어요
одоо : 말하 + 여요 → 말해요
ирээдүй цаг : 말하 + ㄹ 거예요 → 말할 거예요

(242) 묻다 [mutda]

асуух, шалгаах

хариулт буюу тайлбар хүсэн хэлэх.

өнгөрсөн цаг : 묻 + 었어요 → 물었어요
одоо : 묻 + 어요 → 물어요
ирээдүй цаг : 묻 + 을 거예요 → 물을 거예요

(243) 물어보다 [mureoboda]

асуух, лавлах

ямар нэгэн зүйлийг мэдэхийн тулд асуух.

өнгөрсөн цаг : 물어보 + 았어요 → 물어봤어요
одоо : 물어보 + 아요 → 물어봐요
ирээдүй цаг : 물어보 + ㄹ 거예요 → 물어볼 거예요

(244) 설명하다 [seolmyeonghada]

тайлбарлах

ямар нэг зүйлийг бусдад ойлгоход амар хялбараар хэлэх.

өнгөрсөн цаг : 설명하 + 였어요 → 설명했어요
одоо : 설명하 + 여요 → 설명해요
ирээдүй цаг : 설명하 + ㄹ 거예요 → 설명할 거예요

(245) 쓰다 [sseuda]

бичих, тэмдэглэх

үзэг, харандаа зэрэг бичдэг хэрэгсэлээр цаасан дээр зурлага зуран тодорхой үсэг бичих.

өнгөрсөн цаг : 쓰 + 었어요 → 썼어요

одоо : 쓰 + 어요 → 써요

ирээдүй цаг : 쓰 + ㄹ 거예요 → 쓸 거예요

(246) 얘기하다 [yaegihada]

ярилцах, хуучлах, хөөрөлдөх

бусадтай харилцан ярилцах.

өнгөрсөн цаг : 얘기하 + 였어요 → 얘기했어요

одоо : 얘기하 + 여요 → 얘기해요

ирээдүй цаг : 얘기하 + ㄹ 거예요 → 얘기할 거예요

(247) 읽다 [ikda]

унших

бичиг үсэг харж утгыг ойлгох.

өнгөрсөн цаг : 읽 + 었어요 → 읽었어요

одоо : 읽 + 어요 → 읽어요

ирээдүй цаг : 읽 + 을 거예요 → 읽을 거예요

(248) 질문하다 [jilmunhada]

асуух

мэдэхгүй юмуу мэдэхийг хүссэн зүйлийг асуух.

өнгөрсөн цаг : 질문하 + 였어요 → 질문했어요

одоо : 질문하 + 여요 → 질문해요

ирээдүй цаг : 질문하 + ㄹ 거예요 → 질문할 거예요

(249) 칭찬하다 [chingchanhada]

магтах, сайшаах

сайн тал болон сайн ажил зэргийг маш их сайшаан үзсэн сэтгэлээ үгээр илэрхийлэх.

өнгөрсөн цаг : 칭찬하 + 였어요 → **칭찬했어요**
одоо : 칭찬하 + 여요 → **칭찬해요**
ирээдүй цаг : 칭찬하 + ㄹ 거예요 → **칭찬할 거예요**

(250) 끊다 [kkeunta]

таслах, болих, салгах

утас болон интернэтээр ярих буюу санаа бодлоо солилцож байснаа дуусгах.

өнгөрсөн цаг : 끊 + 었어요 → **끊었어요**
одоо : 끊 + 어요 → **끊어요**
ирээдүй цаг : 끊 + 을 거예요 → **끊을 거예요**

(251) 부치다 [buchida]

илгээх, явуулах

захиа, эд бараа зэргийг илгээх.

өнгөрсөн цаг : 부치 + 었어요 → **부쳤어요**
одоо : 부치 + 어요 → **부쳐요**
ирээдүй цаг : 부치 + ㄹ 거예요 → **부칠 거예요**

(252) 줄이다 [jurida]

багасгах, богиносгох

ямар нэгэн эд зүйлийн урт, өргөн, овор хэмжээ зэргийг уг байсан хэмжээнээс бага болгох.

өнгөрсөн цаг : 줄이 + 었어요 → **줄였어요**
одоо : 줄이 + 어요 → **줄여요**
ирээдүй цаг : 줄이 + ㄹ 거예요 → **줄일 거예요**

(253) 줄다 [julda]

агших, багасах

биетийн урт, өргөн, эзлэхүүн уг байснаасаа багасах.

өнгөрсөн цаг : 줄 + 었어요 → 줄었어요
одоо : 줄 + 어요 → 줄어요
ирээдүй цаг : 줄 + ㄹ 거예요 → 줄 거예요

(254) 비다 [bida]

хоосон, хүнгүй, ханхай, хөндий, эзгүй

ямар нэг орон зайд юу ч хэн ч байхгүй байх.

өнгөрсөн цаг : 비 + 었어요 → 비었어요
одоо : 비 + 어요 → 비어요
ирээдүй цаг : 비 + ㄹ 거예요 → 빌 거예요

(255) 모자라다 [mojarada]

дутах, дутагдах, хомс

тогтсон тоо, хэмжээ тухайн хэм хэмжээнд хүрэхгүй байх.

өнгөрсөн цаг : 모자라 + 았어요 → 모자랐어요
одоо : 모자라 + 아요 → 모자라요
ирээдүй цаг : 모자라 + ㄹ 거예요 → 모자랄 거예요

(256) 늘다 [neulda]

өсөх, нэмэгдэх, томрох

биетийн урт өргөн, эзлэхүүн зэрэг анх байсан байдлаасаа урт юмуу том болох.

өнгөрсөн цаг : 늘 + 었어요 → 늘었어요
одоо : 늘 + 어요 → 늘어요
ирээдүй цаг : 늘 + ㄹ 거예요 → 늘 거예요

(257) 남다 [namda]

ҮЛДЭХ

бүгдийг хэрэглээгүйгээс үлдэгдэл гарах.

өнгөрсөн цаг : 남 + 았어요 → 남았어요
одоо : 남 + 아요 → 남아요
ирээдүй цаг : 남 + 을 거예요 → 남을 거예요

(258) 남기다 [namgida]

ҮЛДЭЭХ

бүгдийг нь хэрэглэхгүй үлдээх.

өнгөрсөн цаг : 남기 + 었어요 → 남겼어요
одоо : 남기 + 어요 → 남겨요
ирээдүй цаг : 남기 + ㄹ 거예요 → 남길 거예요

(259) 오다 [oda]

орох, болох

бороо, цас орох юм уу хүйтэн болох.

өнгөрсөн цаг : 오 + 았어요 → 왔어요
одоо : 오 + 아요 → 와요
ирээдүй цаг : 오 + ㄹ 거예요 → 올 거예요

(260) 불다 [bulda]

ҮЛЭЭХ, шуурах

салхи үүсэж аль нэгэн тийш салхилах.

өнгөрсөн цаг : 불 + 었어요 → 불었어요
одоо : 불 + 어요 → 불어요
ирээдүй цаг : 불 + ㄹ 거예요 → 불 거예요

(261) 내리다 [naerida]

буух, орох

цас, бороо зэрэг орох.

өнгөрсөн цаг : 내리 + 었어요 → 내렸어요
одоо : 내리 + 어요 → 내려요
ирээдүй цаг : 내리 + ㄹ 거예요 → 내릴 거예요

(262) 그치다 [geuchida]

болих, зогсох, тогтох, намдах, аядах, татрах

үргэлжилж байсан ажил, хөдөлгөөн, үзэгдэл зэрэг үргэлжлэхгүйгээр зогсох.

өнгөрсөн цаг : 그치 + 었어요 → 그쳤어요
одоо : 그치 + 어요 → 그쳐요
ирээдүй цаг : 그치 + ㄹ 거예요 → 그칠 거예요

(263) 배우다 [baeuda]

сурах, сурч авах

шинэ мэдлэг олж авах.

өнгөрсөн цаг : 배우 + 었어요 → 배웠어요
одоо : 배우 + 어요 → 배워요
ирээдүй цаг : 배우 + ㄹ 거예요 → 배울 거예요

(264) 가르치다 [gareuchida]

заах, сургах, зааж өгөх

мэдлэг буюу техник, арга барилыг тайлбарлаж гаршуулах.

өнгөрсөн цаг : 가르치 + 었어요 → 가르쳤어요
одоо : 가르치 + 어요 → 가르쳐요
ирээдүй цаг : 가르치 + ㄹ 거예요 → 가르칠 거예요

(265) 팔다 [palda]

зарах, худалдах

Үнэ хөлсийг нь авч эд бараа болон эрхийг бусдад шилжүүлэх буюу олгох.

өнгөрсөн цаг : 팔 + 았어요 → 팔았어요
одоо : 팔 + 아요 → 팔아요
ирээдүй цаг : 팔 + ㄹ 거예요 → 팔 거예요

(266) 팔리다 [pallida]

зарагдах, худалдагдах

Үнэ хөлсийг нь авч эд бараа буюу эрх бусдад шилжих буюу олгогдох.

өнгөрсөн цаг : 팔리 + 었어요 → 팔렸어요
одоо : 팔리 + 어요 → 팔려요
ирээдүй цаг : 팔리 + ㄹ 거예요 → 파릴 거예요

(267) 올리다 [ollida]

нэмэх, нэмэгдүүлэх, ахиулах

Үнэ, тоон хэмжээ зэргийг нэмэгдүүлэх, ихэсгэх.

өнгөрсөн цаг : 올리 + 었어요 → 올렸어요
одоо : 올리 + 어요 → 올려요
ирээдүй цаг : 올리 + ㄹ 거예요 → 올릴 거예요

(268) 사다 [sada]

худалдаж авах

Үнэ хөлс төлөн ямар нэгэн эд зүйл, эрх мэдлийг өөрийн болгох.

өнгөрсөн цаг : 사 + 았어요 → 샀어요
одоо : 사 + 아요 → 사요
ирээдүй цаг : 사 + ㄹ 거예요 → 살 거예요

(269) 빌리다 [billida]

зээлэх, зээлж авах, түрээслэх

эд зүйл юмуу мөнгийг дараа буцааж өгөх юмуу үнэ өртгийг нь төлөхөөр түр хугацаанд хэрэглэх.

өнгөрсөн цаг : 빌리 + 었어요 → 빌렸어요
одоо : 빌리 + 어요 → 빌려요
ирээдүй цаг : 빌리 + ㄹ 거예요 → 빌릴 거예요

(270) 벌다 [beolda]

олох, цуглуулах

ажил хийж мөнгө олох буюу цуглуулах

өнгөрсөн цаг : 벌 + 었어요 → 벌었어요
одоо : 벌 + 어요 → 벌어요
ирээдүй цаг : 벌 + ㄹ 거예요 → 벌 거예요

(271) 들다 [deulda]

зарцуулагдах

ямар нэгэн үйл хэрэгт мөнгө, цаг, хүч зэргийг зориулах

өнгөрсөн цаг : 들 + 었어요 → 들었어요
одоо : 들 + 어요 → 들어요
ирээдүй цаг : 들 + ㄹ 거예요 → 들 거예요

(272) 깎다 [kkakda]

хямдруулах, үнийг бууруулах, багасгах

үнэ ханш, нийт хэмжээ, хэмжээ зэргийг бууруулах.

өнгөрсөн цаг : 깎 + 았어요 → 깎았어요
одоо : 깎 + 아요 → 깎아요
ирээдүй цаг : 깎 + 을 거예요 → 깎을 거예요

(273) 갚다 [gapda]

төлөх

зээлсэн зүйлээ эргүүлэн өгөх.

өнгөрсөн цаг : 갚 + 았어요 → 갚았어요
одоо : 갚 + 아요 → 갚아요
ирээдүй цаг : 갚 + 을 거예요 → 갚을 거예요

(274) 통화하다 [tonghwahada]

утсаар ярих

утсаар үг яриа солилцох.

өнгөрсөн цаг : 통화하 + 였어요 → 통화했어요
одоо : 통화하 + 여요 → 통화해요
ирээдүй цаг : 통화하 + ㄹ 거예요 → 통화할 거예요

(275) 교환하다 [gyohwanhada]

солилцох, арилжаа хийх

ямар нэгэн зүйлийг өөр зүйлээр солих.

өнгөрсөн цаг : 교환하 + 였어요 → 교환했어요
одоо : 교환하 + 여요 → 교환해요
ирээдүй цаг : 교환하 + ㄹ 거예요 → 교환할 거예요

(276) 배달하다 [baedalhada]

хүргэх, хангах, тараах, түгээх

шуудангаар илгээсэн зүйл, бараа бүтээгдэхүүн, хоол хүнс зэргийг хүргэж өгөх.

өнгөрсөн цаг : 배달하 + 였어요 → 배달했어요
одоо : 배달하 + 여요 → 배달해요
ирээдүй цаг : 배달하 + ㄹ 거예요 → 배달할 거예요

(277) 선택하다 [seontaekada]

сонгох

олон зүйл дотроос хэрэгтэй зүйлийг сонгон авах.

өнгөрсөн цаг : 선택하 + 였어요 → **선택했어요**
одоо : 선택하 + 여요 → **선택해요**
ирээдүй цаг : 선택하 + ㄹ 거예요 → **선택할 거예요**

(278) 할인하다 [harinhada]

хямдруулах

тогтсон үнээс тодорхой хувийг хасах.

өнгөрсөн цаг : 할인하 + 였어요 → **할인했어요**
одоо : 할인하 + 여요 → **할인해요**
ирээдүй цаг : 할인하 + ㄹ 거예요 → **할인할 거예요**

(279) 환전하다 [hwanjeonhada]

валют арилжих, валют солих, мөнгө солих

нэг улсын мөнгөн дэвсгэртийг өөр улсын мөнгөн дэвсгэртээр солих.

өнгөрсөн цаг : 환전하 + 였어요 → **환전했어요**
одоо : 환전하 + 여요 → **환전해요**
ирээдүй цаг : 환전하 + ㄹ 거예요 → **환전할 거예요**

(280) 결석하다 [gyeolseokada]

таслах, суухгүй байх

хичээл, ажил, хурал зэрэгт очихгүй байх.

өнгөрсөн цаг : 결석하 + 였어요 → **결석했어요**
одоо : 결석하 + 여요 → **결석해요**
ирээдүй цаг : 결석하 + ㄹ 거예요 → **결석할 거예요**

(281) 공부하다 [gongbuhada]

суралцах, сурах, хичээллэх, хичээл хийх

эрдэм номд суралцаж мэдлэгтэй болох.

өнгөрсөн цаг : 공부하 + 였어요 → 공부했어요

одоо : 공부하 + 여요 → 공부해요

ирээдүй цаг : 공부하 + ㄹ 거예요 → 공부할 거예요

(282) 교육하다 [gyoyukada]

заах, сургах, хүмүүжүүлэх, боловсруулах

хувь хүний чадварыг хөгжүүлэх зорилгоор мэдлэг, соёл хүмүүжил, техник зэргийг заах.

өнгөрсөн цаг : 교육하 + 였어요 → 교육했어요

одоо : 교육하 + 여요 → 교육해요

ирээдүй цаг : 교육하 + ㄹ 거예요 → 교육할 거예요

(283) 복습하다 [bokseupada]

давтах

сурсан зүйлээ дахин сэргээх.

өнгөрсөн цаг : 복습하 + 였어요 → 복습했어요

одоо : 복습하 + 여요 → 복습해요

ирээдүй цаг : 복습하 + ㄹ 거예요 → 복습할 거예요

(284) 숙제하다 [sukjehada]

гэрийн даалгавраа хийх

оюутан сурагчид хичээлээ давтах болон урьдчилан бэлтгэхийн тулд хичээлийн дараа хийхээр өгдөг даалгаврыг хийх.

өнгөрсөн цаг : 숙제하 + 였어요 → 숙제했어요

одоо : 숙제하 + 여요 → 숙제해요

ирээдүй цаг : 숙제하 + ㄹ 거예요 → 숙제할 거예요

(285) 연습하다 [yeonseupada]

дасгал хийх, сургуулилт хийх

бодитоор хийж байгаа мэтээр давтан дадлагажих.

өнгөрсөн цаг : 연습하 + 였어요 → **연습했어요**

одоо : 연습하 + 여요 → **연습해요**

ирээдүй цаг : 연습하 + ㄹ 거예요 → **연습할 거예요**

(286) 예습하다 [yeseupada]

давтлага хийх, урьдчилан давтах

цаашид сурах зүйлээ урьдчилан хичээллэх.

өнгөрсөн цаг : 예습하 + 였어요 → **예습했어요**

одоо : 예습하 + 여요 → **예습해요**

ирээдүй цаг : 예습하 + ㄹ 거예요 → **예습할 거예요**

(287) 입학하다 [ipakada]

сургуульд элсэх, сургуульд орох

сурагч болж эрдэм сурахын тулд сургуульд элсэж орох.

өнгөрсөн цаг : 입학하 + 였어요 → **입학했어요**

одоо : 입학하 + 여요 → **입학해요**

ирээдүй цаг : 입학하 + ㄹ 거예요 → **입학할 거예요**

(288) 졸업하다 [joreopada]

төгсөх

оюутан, сурагч сургуулиас тогтоосон сургалтын хөтөлбөрийг бүгдийг сурч дуусгах.

өнгөрсөн цаг : 졸업하 + 였어요 → **졸업했어요**

одоо : 졸업하 + 여요 → **졸업해요**

ирээдүй цаг : 졸업하 + ㄹ 거예요 → **졸업할 거예요**

(289) 지각하다 [jigakada]

хоцрох, хожимдох

товлосон цагаас хожуу ажил, хичээлдээ очих.

өнгөрсөн цаг : 지각하 + 였어요 → **지각했어요**
одоо : 지각하 + 여요 → **지각해요**
ирээдүй цаг : 지각하 + ㄹ 거예요 → **지각할 거예요**

(290) 출석하다 [chulseokada]

ирэх, суух

хичээл болон цуглаан зэрэгт оролцох.

өнгөрсөн цаг : 출석하 + 였어요 → **출석했어요**
одоо : 출석하 + 여요 → **출석해요**
ирээдүй цаг : 출석하 + ㄹ 거예요 → **출석할 거예요**

한국어(солонгос хэл)

형용사(тэмдэг нэр) 137

(1) 고프다 [gopeuda]

өлсөх

гэдэс хонхолзож, юм идэх хүсэл төрөх.

배가 <u>고파요</u>.

baega gopayo.

배+가 <u>고프(고프)+아요</u>.
　　　　　고파요

배 : гэдэс, ходоод
가 : ямар нэгэн төлөв, байдлын субьект, мөн үйл хөдлөлийн эзэн болохыг илэрхийлэх нөхцөл.
고프다 : өлсөх
-아요 : (хүндэтгэлийн энгийн үг хэллэг) ямар нэгэн зүйлийг хүүрнэх, асуух, тушаах, уриалах явдлыг илэрхийлдэг төгсгөх нөхцөл. <дүрслэл>

(2) 부르다 [bureuda]

цадах, дүүрэх

хоол идээд гэдэс дүүрсэн мэдрэмж төрөх.

배가 <u>불러요</u>.

baega bulleoyo.

배+가 <u>부르(불르)+어요</u>.
　　　　　불러요

배 : гэдэс, ходоод
가 : ямар нэгэн төлөв, байдлын субьект, мөн үйл хөдлөлийн эзэн болохыг илэрхийлэх нөхцөл.
부르다 : цадах, дүүрэх
-어요 : (хүндэтгэлийн энгийн үг хэллэг) ямар нэгэн зүйлийг хүүрнэх, асуух, тушаах, уриалах явдлыг илэрхийлдэг төгсгөх нөхцөл. <дүрслэл>

(3) 아프다 [apeuda]

өвдөх

бэртэх ба өвчин тусаж өвдөлт, шаналлыг мэдрэх.

목이 <u>아파요</u>.

mogi apayo.

<u>목+이</u> <u>아프(아프)+아요</u>.
　　　　　아파요

목 : хүзүү
이 : ямар нэгэн төлөв, байдлын субьект, мөн үйл хөдлөлийн эзэн болохыг илэрхийлэх нөхцөл.
아프다 : өвдөх
-아요 : (хүндэтгэлийн энгийн үг хэллэг) ямар нэгэн зүйлийг хүүрнэх, асуух, тушаах, уриалах явдлыг илэрхийлдэг төгсгөх нөхцөл. ⟨дүрслэл⟩

(4) 고맙다 [gomapda]

баярлах

өөр хүн өөрийнх нь төлөө ямар нэгэн зүйлийг хийж өгсөнд талархан баярлаж ачийг хариулах сэтгэл төрөх.

도와줘서 <u>고마워요</u>.

dowajwoseo gomawoyo.

<u>도와주+어서</u> <u>고맙(고마우)+어요</u>.
　　　　　　　　고마워요

도와주다 : туслах, дэмжих
-어서 : учир шалтгаан буюу үндэслэлийг илэрхийлдэг холбох нөхцөл.
고맙다 : баярлах
-어요 : (хүндэтгэлийн энгийн үг хэллэг) ямар нэгэн зүйлийг хүүрнэх, асуух, тушаах, уриалах явдлыг илэрхийлдэг төгсгөх нөхцөл. ⟨дүрслэл⟩

(5) 괜찮다 [gwaenchanta]

зүгээр, боломжийн, дажгүй

нэлээд сайн.

맛이 괜찮아요.

masi gwaenchanayo.

맛+이 괜찮+아요.

맛 : амт
이 : ямар нэгэн төлөв, байдлын субьект, мөн үйл хөдлөлийн эзэн болохыг илэрхийлэх нөхцөл.
괜찮다 : зүгээр, боломжийн, дажгүй
-아요 : (хүндэтгэлийн энгийн үг хэллэг) ямар нэгэн зүйлийг хүүрнэх, асуух, тушаах, уриалах явдлыг илэрхийлдэг төгсгөх нөхцөл. <дүрслэл>

(6) 귀엽다 [gwiyeopda]

өхөөрдөм, хөөрхөн, хайр татам

харахад хөөрхөн, хайр хүрмээр байх.

얼굴이 귀여워요.

eolguri gwiyeowoyo.

얼굴+이 귀엽(귀여우)+어요.
          귀여워요

얼굴 : нүүр царай
이 : ямар нэгэн төлөв, байдлын субьект, мөн үйл хөдлөлийн эзэн болохыг илэрхийлэх нөхцөл.
귀엽다 : өхөөрдөм, хөөрхөн, хайр татам
-어요 : (хүндэтгэлийн энгийн үг хэллэг) ямар нэгэн зүйлийг хүүрнэх, асуух, тушаах, уриалах явдлыг илэрхийлдэг төгсгөх нөхцөл. <дүрслэл>

(7) 귀찮다 [gwichanta]

яршигтай

дургүй хүрэм яршиг төвөгтэй байх.

씻기가 <u>귀찮아요</u>.

ssitgiga gwichanayo.

씻+기+가 귀찮+아요.

씻다 : угаах

-기 : өмнөх үгийг нэр үгийн үүрэгтэй болгодог нөхцөл.

가 : ямар нэгэн төлөв, байдлын субьект, мөн үйл хөдлөлийн эзэн болохыг илэрхийлэх нөхцөл.

귀찮다 : яршигтай

-아요 : (хүндэтгэлийн энгийн үг хэллэг) ямар нэгэн зүйлийг хүүрнэх, асуух, тушаах, уриалах явдлыг илэрхийлдэг төгсгөх нөхцөл. <дүрслэл>

(8) 그립다 [geuripda]

санах, санагалзах, үгүйлэх

маш ихээр санах буюу уулзахыг хүсэх.

가족이 <u>그리워요</u>.

gajogi geuriwoyo.

가족+이 <u>그립(그리우)+어요</u>.
        그리워요

가족 : гэр бүл

이 : ямар нэгэн төлөв, байдлын субьект, мөн үйл хөдлөлийн эзэн болохыг илэрхийлэх нөхцөл.

그립다 : санах, санагалзах, үгүйлэх

-어요 : (хүндэтгэлийн энгийн үг хэллэг) ямар нэгэн зүйлийг хүүрнэх, асуух, тушаах, уриалах явдлыг илэрхийлдэг төгсгөх нөхцөл. <дүрслэл>

(9) 기쁘다 [gippeuda]

баяртай байх, баярлах, хөгжилтэй байх, баясгалантай байх

сэтгэл санаа өөдрөг бөгөөд хөгжилтэй.

시험에 합격해서 <u>기뻐요</u>.

siheome hapgyeokaeseo gippeoyo.

시험+에 합격하+여서 <u>기쁘(기뻐)+어요</u>.

기뻐요

시험 : шалгалт, шүүлэг

에 : өмнөх үг ямар нэгэн үйлдэл буюу сэтгэл хөдлөлийн тусагдахуун болохыг илэрхийлж буй үг.

합격하다 : тэнцэх

-여서 : учир шалтгаан буюу үндэслэлийг илэрхийлдэг холбох нөхцөл.

기쁘다 : баяртай байх, баярлах, хөгжилтэй байх, баясгалантай байх

-어요 : (хүндэтгэлийн энгийн үг хэллэг) ямар нэгэн зүйлийг хүүрнэх, асуух, тушаах, уриалах явдлыг илэрхийлдэг төгсгөх нөхцөл. <дүрслэл>

(10) 답답하다 [dapdapada]

багтрах

амьсгаа багтарч амьсгалахад бэрх байх.

가슴이 <u>답답해요</u>.

gaseumi dapdapaeyo.

가슴+이 <u>답답하+여요</u>.

답답해요

가슴 : зүрх уушиг, цээж, сэтгэл

이 : ямар нэгэн төлөв, байдлын субьект, мөн үйл хөдлөлийн эзэн болохыг илэрхийлэх нөхцөл.

답답하다 : багтрах

-여요 : (хүндэтгэлийн энгийн үг хэллэг) ямар нэгэн зүйлийг хүүрнэх, асуух, тушаах, уриалах явдлыг илэрхийлдэг төгсгөх нөхцөл. <дүрслэл>

(11) 무섭다 [museopda]

аймаар, эмээмээр, аюултай, айшигтай, цочирдом, эвгүй муухай

ямар нэгэн зүйлээс зайлсхийх буюу ямар нэгэн явдал тохиолдохоос айх.

귀신이 <u>무서워요</u>.

gwisini museowoyo.

귀신+이 <u>무섭(무서우)+어요</u>.

　　　　　<u>무서워요</u>

귀신 : сүнс, лус, савдаг, сахиус

이 : ямар нэгэн төлөв, байдлын субьект, мөн үйл хөдлөлийн эзэн болохыг илэрхийлэх нөхцөл.

무섭다 : аймаар, эмээмээр, аюултай, айшигтай, цочирдом, эвгүй муухай

-어요 : (хүндэтгэлийн энгийн үг хэллэг) ямар нэгэн зүйлийг хүүрнэх, асуух, тушаах, уриалах явдлыг илэрхийлдэг төгсгөх нөхцөл. <дүрслэл>

(12) 반갑다 [bangapda]

баярлах, баясах

уулзахыг хүсч байсан хүнтэйгээ уулзах юмуу хүсч байсан зүйл биелэн сэтгэл санаа хөгжилтэй баяртай байх.

만나게 되어 <u>반가워요</u>.

mannage doeeo bangawoyo.

만나+[게 되]+어 <u>반갑(반가우)+어요</u>.

　　　　　　　　　<u>반가워요</u>

만나다 : учрах, уулзах

-게 되다 : өмнөх үгийн илэрхийлж буй нөхцөл байдал үүсэх буюу тийм байдалд хүрэх явдлыг илэрхийлдэг үг хэллэг.

-어 : өмнө ирэх үг ард ирэх үгийн талаарх учир шалтгаан болохыг илэрхийлдэг холбох нөхцөл.

반갑다 : баярлах, баясах

-어요 : (хүндэтгэлийн энгийн үг хэллэг) ямар нэгэн зүйлийг хүүрнэх, асуух, тушаах, уриалах явдлыг илэрхийлдэг төгсгөх нөхцөл. <дүрслэл>

(13) 부끄럽다 [bukkeureopda]

ичих, гэрэвших, бишүүрхэх

ичиж бишүүрхэх.

칭찬해 주시니 <u>부끄러워요</u>.

chingchanhae jusini bukkeureowoyo.

<u>칭찬하</u>+[여 주]+시+니 <u>부끄럽(부끄러우)+어요</u>.
　　칭찬해 주시니　　　부끄러워요

칭찬하다 : магтах, сайшаах

-여 주다 : бусдад зориулж өмнөх үгийн илэрхийлж буй үйлдлийг хийх явдлыг илэрхийлдэг үг хэллэг.

-시- : ямар нэгэн үйлдэл буюу байдлын эзэн биеийг хүндэтгэх утгыг илэрхийлдэг нөхцөл.

-ни : ард ирэх үгийн талаар өмнө ирэх үг нь учир шалтгаан буюу болзол болохыг илэрхийлдэг холбох нөхцөл.

부끄럽다 : ичих, гэрэвших, бишүүрхэх

-어요 : (хүндэтгэлийн энгийн үг хэллэг) ямар нэгэн зүйлийг хүүрнэх, асуух, тушаах, уриалах явдлыг илэрхийлдэг төгсгөх нөхцөл. <дүрслэл>

(14) 부럽다 [bureopda]

атаархах

бусдын явдал буюу эд зүйл сайхан харагдаж өөрөө тийм болохыг хүсэх буюу тийм юмтай болохыг хүсэх сэтгэл төрөх.

한국어 잘하는 사람이 <u>부러워요</u>.

hangugeo jalhaneun sarami bureowoyo.

<u>한국어 잘하</u>+는 사람+이 <u>부럽(부러우)+어요</u>.
　　　　　　　　　　부러워요

한국어 : солонгос хэл

잘하다 : сайн хийх, чадварлаг хийх, сайн ярих

-는 : өмнөх үгийг тодотгол гишүүний үүрэгтэй болгож, хэрэг явдал буюу үйлдэл нь одоо өрнөж байгааг илэрхийлдэг нөхцөл.

사람 : хүн

이 : ямар нэгэн төлөв, байдлын субьект, мөн үйл хөдлөлийн эзэн болохыг илэрхийлэх нөхцөл.

부럽다 : атаархах

-어요 : (хүндэтгэлийн энгийн үг хэллэг) ямар нэгэн зүйлийг хүүрнэх, асуух, тушаах, уриалах явдлыг илэрхийлдэг төгсгөх нөхцөл. <дүрслэл>

(15) 불쌍하다 [bulssanghada]

хөөрхий, өрөвдөм, хөөрхийлөлтэй

нөхцөл байдал, амьжиргааны байдал тааруу учир өрөвдөлтэй санагдаж сэтгэл өвдмөөр байх.

주인을 잃은 강아지가 불쌍해요.

juineul ireun gangajiga bulssanghaeyo.

주인+을 잃+은 강아지+가 불쌍하+여요.
불쌍해요

주인 : эзэн

을 : үйл хөдлөл шууд нөлөөлж буй тусагдахууныг илэрхийлэх нөхцөл.

잃다 : алдах, хагацах

-은 : өмнөх үгийг тодотгол гишүүний үүрэгтэй болгож үйл хөдлөл дуусан тэр байдал хадгалагдаж буйг илэрхийлдэг нөхцөл.

강아지 : гөлөг

가 : ямар нэгэн төлөв, байдлын субьект, мөн үйл хөдлөлийн эзэн болохыг илэрхийлэх нөхцөл.

불쌍하다 : хөөрхий, өрөвдөм, хөөрхийлөлтэй

-여요 : (хүндэтгэлийн энгийн үг хэллэг) ямар нэгэн зүйлийг хүүрнэх, асуух, тушаах, уриалах явдлыг илэрхийлдэг төгсгөх нөхцөл. <дүрслэл>

(16) 섭섭하다 [seopseopada]

гуниглах

гонсгор харуусалтай байх.

선생님과 헤어지기가 섭섭해요.

seonsaengnimgwa heeojigiga seopseopaeyo.

선생님+과 헤어지+기+가 <u>섭섭하+여요</u>.
섭섭해요

선생님 : багш
과 : хамт ямар нэгэн үйлийг хийхэд тухайн харилцагч этгээдийг илэрхийлж буй нэрийн нөхцөл.
헤어지다 : салах, хагацах
-기 : өмнөх үгийг нэр үгийн үүрэгтэй болгодог нөхцөл.
가 : ямар нэгэн төлөв, байдлын субьект, мөн үйл хөдлөлийн эзэн болохыг илэрхийлэх нөхцөл.
섭섭하다 : гуниглах
-여요 : (хүндэтгэлийн энгийн үг хэллэг) ямар нэгэн зүйлийг хүүрнэх, асуух, тушаах, уриалах явдлыг илэрхийлдэг төгсгөх нөхцөл. <дүрслэл>

(17) 소중하다 [sojunghada]
эрхэм нандин, хайртай

асар эрхэм.

가족이 가장 <u>소중해요</u>.
gajogi gajang sojunghaeyo.

가족+이 가장 <u>소중하+여요</u>.
소중해요

가족 : гэр бүл
이 : ямар нэгэн төлөв, байдлын субьект, мөн үйл хөдлөлийн эзэн болохыг илэрхийлэх нөхцөл.
가장 : хамгийн
소중하다 : эрхэм нандин, хайртай
-여요 : (хүндэтгэлийн энгийн үг хэллэг) ямар нэгэн зүйлийг хүүрнэх, асуух, тушаах, уриалах явдлыг илэрхийлдэг төгсгөх нөхцөл. <дүрслэл>

(18) 슬프다 [seulpeuda]
уйтгартай, зовлонтой, гунигтай

нулимс гармаар сэтгэл өвдөж зовох.

영화의 내용이 <u>슬퍼요</u>.

yeonghwae naeyongi seulpeoyo.

영화+의 내용+이 <u>슬프(슬프)+어요</u>.
슬퍼요

영화 : кино

의 : өмнөх үг хойдох үгтэй эзэмшил, харьяа, хэрэглэгдэхүүн, сэдвийн хамааралтай болохыг илэрхийлсэн нөхцөл.

내용 : утга, агуулга, утга санаа

이 : ямар нэгэн төлөв, байдлын субьект, мөн үйл хөдлөлийн эзэн болохыг илэрхийлэх нөхцөл.

슬프다 : уйтгартай, зовлонтой, гунигтай

-어요 : (хүндэтгэлийн энгийн үг хэллэг) ямар нэгэн зүйлийг хүүрнэх, асуух, тушаах, уриалах явдлыг илэрхийлдэг төгсгөх нөхцөл. <дүрслэл>

(19) 시원하다 [siwonhada]

сэрүүн, сэрүүхэн, сэнгэнэсэн

халуун хүйтний аль ч биш тохиромжтой сэрүүн байх.

바람이 <u>시원해요</u>.

barami siwonhaeyo.

바람+이 <u>시원하+여요</u>.
시원해요

바람 : салхи

이 : ямар нэгэн төлөв, байдлын субьект, мөн үйл хөдлөлийн эзэн болохыг илэрхийлэх нөхцөл.

시원하다 : сэрүүн, сэрүүхэн, сэнгэнэсэн

-여요 : (хүндэтгэлийн энгийн үг хэллэг) ямар нэгэн зүйлийг хүүрнэх, асуух, тушаах, уриалах явдлыг илэрхийлдэг төгсгөх нөхцөл. <дүрслэл>

(20) 싫다 [silta]

таалагдамжгүй, сэтгэлд нийцэхгүй, дургүй

сэтгэлд нийцэхгүй байх.

매운 음식이 <u>싫어요</u>.

maeun eumsigi sireoyo.

<u>맵(매우)+ㄴ</u> 음식+이 싫+어요.
   매운

맵다 : халуун ногоотой

-ㄴ : өмнөх үгийг тодотгол гишүүний үүрэгтэй болгож, одоогийн байдлыг илэрхийлдэг нөхцөл.

음식 : идэх юм, хоол, идээ

이 : ямар нэгэн төлөв, байдлын субьект, мөн үйл хөдлөлийн эзэн болохыг илэрхийлэх нөхцөл.

싫다 : таалагдамжгүй, сэтгэлд нийцэхгүй, дургүй

-어요 : (хүндэтгэлийн энгийн үг хэллэг) ямар нэгэн зүйлийг хүүрнэх, асуух, тушаах, уриалах явдлыг илэрхийлдэг төгсгөх нөхцөл. <дүрслэл>

(21) 외롭다 [oeropda]

уйтгартай, ганцаардмал

ганцаардах буюу түшиж тулах хүнгүй ганцаардмал.

지금 몹시 <u>외로워요</u>.

jigeum mopsi oerowoyo.

지금 몹시 <u>외롭(외로우)+어요</u>.
            외로워요

지금 : одоо, одоо цагт

몹시 : маш хүнд, ноцтой, нилээд их, асар их

외롭다 : уйтгартай, ганцаардмал

-어요 : (хүндэтгэлийн энгийн үг хэллэг) ямар нэгэн зүйлийг хүүрнэх, асуух, тушаах, уриалах явдлыг илэрхийлдэг төгсгөх нөхцөл. <дүрслэл>

(22) 좋다 [jota]

сайхан

ямар нэгэн зүйлийн шинж чанар ба агуулга өөгүй тэгш, сэтгэл хангалуун байхуйц.

이 물건은 품질이 <u>좋아요</u>.

i mulgeoneun pumjiri joayo.

이 물건+은 품질+이 좋+아요.

이 : энэ
물건 : эд зүйл
은 : өгүүлбэрт ямар зүйл ярианы сэдэв болж буйг илэрхийлдэг нөхцөл.
품질 : чанар
이 : ямар нэгэн төлөв, байдлын субьект, мөн үйл хөдлөлийн эзэн болохыг илэрхийлэх нөхцөл.
좋다 : сайхан
-아요 : (хүндэтгэлийн энгийн үг хэллэг) ямар нэгэн зүйлийг хүүрнэх, асуух, тушаах, уриалах явдлыг илэрхийлдэг төгсгөх нөхцөл. <дүрслэл>

(23) 죄송하다 [joesonghada]

санаа зовох, уучлал эрэх, өршөөл гуйх

гэм хийсэн мэт маш их сэтгэл зовох.

늦어서 <u>죄송해요</u>.

neujeoseo joesonghaeyo.

늦+어서 <u>죄송하+여요</u>.
　　　　　　죄송해요

늦다 : хоцрох, оройтох
-어서 : учир шалтгаан буюу үндэслэлийг илэрхийлдэг холбох нөхцөл.
죄송하다 : санаа зовох, уучлал эрэх, өршөөл гуйх
-여요 : (хүндэтгэлийн энгийн үг хэллэг) ямар нэгэн зүйлийг хүүрнэх, асуух, тушаах, уриалах явдлыг илэрхийлдэг төгсгөх нөхцөл. <дүрслэл>

(24) 즐겁다 [jeulgeopda]

хөгжилтэй, баяртай, баяр хөөртэй

сэтгэлд нийцэн, тааламжтай баяртай байх.

여행은 언제나 <u>즐거워요</u>.

yeohaengeun eonjena jeulgeowoyo.

여행+은 언제나 <u>즐겁(즐거우)+어요</u>.
                        즐거워요

여행 : аялал, жуулчлал

은 : өгүүлбэрт ямар зүйл ярианы сэдэв болж буйг илэрхийлдэг нөхцөл.

언제나 : үргэлж, хэзээд, ямагт

즐겁다 : хөгжилтэй, баяртай, баяр хөөртэй

-어요 : (хүндэтгэлийн энгийн үг хэллэг) ямар нэгэн зүйлийг хүүрнэх, асуух, тушаах, уриалах явдлыг илэрхийлдэг төгсгөх нөхцөл. <дүрслэл>

(25) 급하다 [geupada]

яаралтай, түргэн

нөхцөл байдал, учир шалтгаан нь хурдан шийдвэрлэх шаардлагатай нөхцөл байдалд байх.

갑자기 <u>급한</u> 일이 생겼어요.

gapjagi geupan iri saenggyeosseoyo.

갑자기 <u>급하+ㄴ</u> 일+이 <u>생기+었+어요</u>.
        급한   생겼어요

갑자기 : гэнэт

급하다 : яаралтай, түргэн

-ㄴ : өмнөх үгийг тодотгол гишүүний үүрэгтэй болгож, одоогийн байдлыг илэрхийлдэг нөхцөл.

일 : ажил

이 : ямар нэгэн төлөв, байдлын субьект, мөн үйл хөдлөлийн эзэн болохыг илэрхийлэх нөхцөл.

생기다 : үүсэх

-었- : ямар нэгэн хэрэг явдал өнгөрсөн үед болж өнгөрсөн буюу тухайн үйлийн үр дүн өнөөг хүртэл үргэлжилж буй нөхцөл байдлыг илэрхийлдэг нөхцөл.

-어요 : (хүндэтгэлийн энгийн үг хэллэг) ямар нэгэн зүйлийг хүүрнэх, асуух, тушаах, уриалах явдлыг илэрхийлдэг төгсгөх нөхцөл. <дүрслэл>

(26) 조용하다 [joyonghada]

намуун, чимээ аниргүй, дуу цөөтэй, даруу

үг цөөтэй үйл хөдлөл нь даруу төлөв.

도서관에서는 <u>조용하게</u> 말하세요.

doseogwaneseoneun joyonghage malhaseyo.

도서관+에서+는 조용하+게 말하+세요.

도서관 : номын сан
에서 : өмнөх үг нь үйлдэл нь биелж буй газар болохыг илэрхийлдэг нөхцөл.
는 : өгүүлбэрт ярианы сэдэв болж буйг илэрхийлдэг нөхцөл.
조용하다 : намуун, чимээ аниргүй, дуу цөөтэй, даруу
-게 : өмнөх агуулга ард нь зааж буй байдал, зорилго, үр дүн, арга барил, хэмжээ зэрэг болохыг илэрхийлдэг холбох нөхцөл.
말하다 : ярих, өгүүлэх, хэлэх, өчих
-세요 : (хүндэтгэлийн энгийн үг хэллэг) тайлбар, асуулт, тушаал, хүсэлтийн утгыг илэрхийлдэг төгсгөх нөхцөл. <тушаал>

(27) 곧다 [gotda]

цэх, шулуун, чигээрээ, тэгш, дардан

зам, зураас, хүний нуруу зэрэг тахир муруй биш эгц байх.

허리를 곧게 펴세요.

heorireul gotge pyeoseyo.

허리+를 곧+게 펴+세요.

허리 : бэлхүүс, бүсэлхий
를 : үйл хөдлөл шууд нөлөөлж буй тусагдахууныг илэрхийлэх нөхцөл.
곧다 : цэх, шулуун, чигээрээ, тэгш, дардан
-게 : өмнөх агуулга ард нь зааж буй байдал, зорилго, үр дүн, арга барил, хэмжээ зэрэг болохыг илэрхийлдэг холбох нөхцөл.
펴다 : дэлгэх, тэнийлгэх
-세요 : (хүндэтгэлийн энгийн үг хэллэг) тайлбар, асуулт, тушаал, хүсэлтийн утгыг илэрхийлдэг төгсгөх нөхцөл. <тушаал>

(28) 까다롭다 [kkadaropda]

ээдрээтэй, төвөгтэй, адармаатай, ярвигтай

нөхцөл ба арга ээдрээ төвөгтэй, шийдвэрлэхэд амаргүй байх.

이 문제는 <u>까다로워요</u>.

i munjeneun kkadarowoyo.

이 문제+는 <u>까다롭(까다로우)+어요</u>.
            까따로워요

이 : энэ

문제 : асуулт

는 : өгүүлбэрт ярианы сэдэв болж буйг илэрхийлдэг нөхцөл.

까다롭다 : ээдрээтэй, төвөгтэй, адармаатай, ярвигтай

-어요 : (хүндэтгэлийн энгийн үг хэллэг) ямар нэгэн зүйлийг хүүрнэх, асуух, тушаах, уриалах явдлыг илэрхийлдэг төгсгөх нөхцөл. <дүрслэл>

(29) 깔끔하다 [kkalkkeumhada]

цэвэр, цэмцгэр, аятайхан

дүр төрх нь цэвэр нямбай байх.

방이 아주 <u>깔끔해요</u>.

bangi aju kkalkkeumhaeyo.

방+이 아주 <u>깔끔하+여요</u>.
            깔끔해요

방 : өрөө

이 : ямар нэгэн төлөв, байдлын субьект, мөн үйл хөдлөлийн эзэн болохыг илэрхийлэхнөхцөл.

아주 : маш, их, тун

깔끔하다 : цэвэр, цэмцгэр, аятайхан

-여요 : (хүндэтгэлийн энгийн үг хэллэг) ямар нэгэн зүйлийг хүүрнэх, асуух, тушаах, уриалах явдлыг илэрхийлдэг төгсгөх нөхцөл. <дүрслэл>

(30) 냉정하다 [naengjeonghada]

ХҮЙТЭН ХӨНДИЙ

хандлага буюу байдал нь халуун дулаан бус хүйтэн байх.

성격이 냉정해요.

seonggyeogi naengjeonghaeyo.

성격+이 냉정하+여요.
　　　　냉정해요

성격 : зан чанар

이 : ямар нэгэн төлөв, байдлын субьект, мөн үйл хөдлөлийн эзэн болохыг илэрхийлэх нөхцөл.

냉정하다 : хүйтэн хөндий

-여요 : (хүндэтгэлийн энгийн үг хэллэг) ямар нэгэн зүйлийг хүүрнэх, асуух, тушаах, уриалах явдлыг илэрхийлдэг төгсгөх нөхцөл. ＜дүрслэл＞

(31) 너그럽다 [neogeureopda]

ӨРШӨӨНГҮЙ

бусдын нөхцөл байдлыг сайн ойлгодог уужим сэтгэлтэй.

마음이 너그러워요.

maeumi neogeureowoyo.

마음+이 너그럽(너그러우)+어요.
　　　　너그러워요

마음 : сэтгэл

이 : ямар нэгэн төлөв, байдлын субьект, мөн үйл хөдлөлийн эзэн болохыг илэрхийлэх нөхцөл.

너그럽다 : өршөөнгүй

-어요 : (хүндэтгэлийн энгийн үг хэллэг) ямар нэгэн зүйлийг хүүрнэх, асуух, тушаах, уриалах явдлыг илэрхийлдэг төгсгөх нөхцөл. ＜дүрслэл＞

(32) 느긋하다 [neugeutada]

уужуу тайван

яаралгүй аажуу байх.

숙제를 끝내서 마음이 <u>느긋해요</u>.

sukjereul kkeunnaeseo maeumi neugeutaeyo.

숙제+를 끝내+어서 마음+이 <u>느긋하+여요</u>.
　　　　　끝내서　　　　　　느긋해요

숙제 : гэрийн даалгавар, гэрийн ажил

를 : үйл хөдлөл шууд нөлөөлж буй тусагдахууныг илэрхийлэх нөхцөл.

끝내다 : дуусгах

-어서 : учир шалтгаан буюу үндэслэлийг илэрхийлдэг холбох нөхцөл.

마음 : сэтгэл

이 : ямар нэгэн төлөв, байдлын субьект, мөн үйл хөдлөлийн эзэн болохыг илэрхийлэх нөхцөл.

느긋하다 : уужуу тайван

-여요 : (хүндэтгэлийн энгийн үг хэллэг) ямар нэгэн зүйлийг хүүрнэх, асуух, тушаах, уриалах явдлыг илэрхийлдэг төгсгөх нөхцөл. <дүрслэл>

(33) 다정하다 [dajeonghada]

халуун дотно

зөөлөн, халуун дотно сэтгэлтэй байх.

아버지는 가족들에게 무척 <u>다정해요</u>.

abeojineun gajokdeurege mucheok dajeonghaeyo.

아버지+는 가족+들+에게 무척 <u>다정하+여요</u>.
　　　　　　　　　　　　　다정해요

아버지 : аав

는 : өгүүлбэрт ярианы сэдэв болж буйг илэрхийлдэг нөхцөл.

가족 : гэр бүл

들 : олон тооны утга нэмдэг дагавар.

에게 : ямар нэгэн үйлдлийн нөлөөг авч буй зүйлийг илэрхийлдэг нөхцөл.

무척 : маш, асар, туйлын

다정하다 : халуун дотно

-여요 : (хүндэтгэлийн энгийн үг хэллэг) ямар нэгэн зүйлийг хүүрнэх, асуух, тушаах, уриалах явдлыг илэрхийлдэг төгсгөх нөхцөл. <дүрслэл>

(34) 못되다 [motdoeda]

муухай, өөдгүй, адгийн, булай, олиггүй, олхиогүй

зан ааш, үйлдэл зэрэг нь ёс суртахууны хувьд муу муухай.

동생은 못된 버릇이 있어요.

dongsaengeun motdoen beoreusi isseoyo.

동생+은 못되+ㄴ 버릇+이 있+어요.

    못된

동생 : дүү

은 : өгүүлбэрт ямар зүйл ярианы сэдэв болж буйг илэрхийлдэг нөхцөл.

못되다 : муухай, өөдгүй, адгийн, булай, олиггүй, олхиогүй

-ㄴ : өмнөх үгийг тодотгол гишүүний үүрэгтэй болгож, одоогийн байдлыг илэрхийлдэг нөхцөл.

버릇 : зуршил, дадал, зан

이 : ямар нэгэн төлөв, байдлын субьект, мөн үйл хөдлөлийн эзэн болохыг илэрхийлэх нөхцөл.

있다 : ямар нэгэн эд зүйл болон чадамжтай болохыг заасан байдал.

-어요 : (хүндэтгэлийн энгийн үг хэллэг) ямар нэгэн зүйлийг хүүрнэх, асуух, тушаах, уриалах явдлыг илэрхийлдэг төгсгөх нөхцөл. <дүрслэл>

(35) 변덕스럽다 [byeondeokseureopda]

хувирамтгай, олон ааштай, олон зантай

үг хэл, үйлдэл, сэтгэл хөдлөл, цаг агаар зэрэг нь ингэж тэгж байнга өөрчлөгддөг байх.

요즘 날씨가 변덕스러워요.

yojeum nalssiga byeondeokseureowoyo.

요즘 날씨+가 변덕스럽(변덕스러우)+어요.

        변덕스러워요

요즘 : саяхан, сүүлийн үе, ойрмогхон

날씨 : цаг агаар

가 : ямар нэгэн төлөв, байдлын субьект, мөн үйл хөдлөлийн эзэн болохыг илэрхийлэх нөхцөл.

변덕스럽다 : хувирамтгай, олон ааштай, олон зантай

-어요 : (хүндэтгэлийн энгийн үг хэллэг) ямар нэгэн зүйлийг хүүрнэх, асуух, тушаах, уриалах явдлыг илэрхийлдэг төгсгөх нөхцөл. <дүрслэл>

(36) 솔직하다 [soljikada]

илэн далангүй, ний нуугүй, ил тод

худал хуурмаггүй болон нууж хаах зүйлгүй байх.

묻는 말에 솔직하게 대답하세요.

munneun mare soljikage daedapaseyo.

묻+는 말+에 솔직하+게 대답하+세요.

묻다 : асуух, шалгаах

-는 : өмнөх үгийг тодотгол гишүүний үүрэгтэй болгож, хэрэг явдал буюу үйлдэл нь одоо өрнөж байгааг илэрхийлдэг нөхцөл.

말 : үг яриа

에 : өмнөх үг ямар нэгэн үйлдэл буюу сэтгэл хөдлөлийн тусагдахуун болохыг илэрхийлж буй үг.

솔직하다 : илэн далангүй, ний нуугүй, ил тод

-게 : өмнөх агуулга ард нь зааж буй байдал, зорилго, үр дүн, арга барил, хэмжээ зэрэг болохыг илэрхийлдэг холбох нөхцөл.

대답하다 : хариулах

-세요 : (хүндэтгэлийн энгийн үг хэллэг) тайлбар, асуулт, тушаал, хүсэлтийн утгыг илэрхийлдэг төгсгөх нөхцөл. <тушаал>

(37) 순수하다 [sunsuhada]

цэвэр, ариун

хувийн шунал, өөдгүй бодолгүй.

순수하게 세상을 살고 싶어요.

sunsuhage sesangeul salgo sipeoyo.

순수하+게 세상+을 살+[고 싶]+어요.

순수하다 : цэвэр, ариун

-게 : өмнөх агуулга ард нь зааж буй байдал, зорилго, үр дүн, арга барил, хэмжээ зэрэг болохыг илэрхийлдэг холбох нөхцөл.

세상 : хорвоо дэлхий, хорвоо ертөнц

을 : үйл хөдлөл шууд нөлөөлж буй тусагдахууныг илэрхийлэх нөхцөл.

살다 : амьдрах, аж төрөх

-고 싶다 : өмнөх үгийн илэрхийлж буй үйлдлийг хийхийг хүсэх явдлыг илэрхийлдэг үг хэллэг.

-어요 : (хүндэтгэлийн энгийн үг хэллэг) ямар нэгэн зүйлийг хүүрнэх, асуух, тушаах, уриалах явдлыг илэрхийлдэг төгсгөх нөхцөл. <дүрслэл>

(38) 순진하다 [sunjinhada]

үнэнч, чин үнэнч

худал хуурмаггүй чин үнэнч сэтгэлтэй байх.

그 사람은 어린아이처럼 순진해요.

geu sarameun eorinaicheoreom sunjinhaeyo.

그 사람+은 어린아이+처럼 순진하+여요.
                      순진해요

그 : тэр, нөгөө

사람 : хүн

은 : өгүүлбэрт ямар зүйл ярианы сэдэв болж буйг илэрхийлдэг нөхцөл.

어린아이 : бага балчир хүүхэд, балчир хүүхэд

처럼 : шиг, мэт

순진하다 : үнэнч, чин үнэнч

-여요 : (хүндэтгэлийн энгийн үг хэллэг) ямар нэгэн зүйлийг хүүрнэх, асуух, тушаах, уриалах явдлыг илэрхийлдэг төгсгөх нөхцөл. <дүрслэл>

(39) 순하다 [sunhada]

чих зөөлөнтэй, уян дөлгөөн, дуулгавартай, номхон

номхон дөлгөөн ааш зантай.

아이가 성격이 <u>순해요</u>.

aiga seonggyeogi sunhaeyo.

아이+가 성격+이 <u>순하+여요</u>.
　　　　　　　　　순해요

아이 : хүүхэд

가 : ямар нэгэн төлөв, байдлын субьект, мөн үйл хөдлөлийн эзэн болохыг илэрхийлэх нөхцөл.

성격 : зан чанар

이 : ямар нэгэн төлөв, байдлын субьект, мөн үйл хөдлөлийн эзэн болохыг илэрхийлэх нөхцөл.

순하다 : чих зөөлөнтэй, уян дөлгөөн, дуулгавартай, номхон

-여요 : (хүндэтгэлийн энгийн үг хэллэг) ямар нэгэн зүйлийг хүүрнэх, асуух, тушаах, уриалах явдлыг илэрхийлдэг төгсгөх нөхцөл. <дүрслэл>

(40) 활발하다 [hwalbalhada]

шаламгай, гавшгай, золбоотой, жавхаатай, цовоо цолгион цог зальтай, хүчтэй байх.

나는 **활발한** 사람이 좋아요.

naneun hwalbalhan sarami joayo.

나+는 **활발하+ㄴ** 사람+이 좋+아요.
　　　　　활발한

나 : би

는 : өгүүлбэрт ярианы сэдэв болж буйг илэрхийлдэг нөхцөл.

활발하다 : шаламгай, гавшгай, золбоотой, жавхаатай, цовоо цолгион

-ㄴ : өмнөх үгийг тодотгол гишүүний үүрэгтэй болгож, одоогийн байдлыг илэрхийлдэг нөхцөл.

사람 : хүн

이 : ямар нэгэн төлөв, байдлын субьект, мөн үйл хөдлөлийн эзэн болохыг илэрхийлэх нөхцөл.

좋다 : сайн, сайхан

-아요 : (хүндэтгэлийн энгийн үг хэллэг) ямар нэгэн зүйлийг хүүрнэх, асуух, тушаах, уриалах явдлыг илэрхийлдэг төгсгөх нөхцөл. <дүрслэл>

(41) 게으르다 [geeureuda]

залхуу

хөдөлгөөн удаан буюу хөдлөх ажил хийх дургүй.

게으른 사람은 성공하지 못해요.

geeureun sarameun seonggonghaji motaeyo.

게으르+ㄴ 사람+은 성공하+[지 못하]+여요.
 게으른   성공하지 못해요

게으르다 : залхуу

-ㄴ : өмнөх үгийг тодотгол гишүүний үүрэгтэй болгож, одоогийн байдлыг илэрхийлдэг нөхцөл.

사람 : хүн

은 : өгүүлбэрт ямар зүйл ярианы сэдэв болж буйг илэрхийлдэг нөхцөл.

성공하다 : амжилтанд хүрэх, биелүүлэх, бүтээх

-지 못하다 : өмнөх үгийн илэрхийлж буй үйлдлийг хийх чадваргүй буюу тийнхүү хийх гэсэн эзэн биеийн санасны дагуу болохгүй байх явдлыг илэрхийлдэг үг хэллэг.

-여요 : (хүндэтгэлийн энгийн үг хэллэг) ямар нэгэн зүйлийг хүүрнэх, асуух, тушаах, уриалах явдлыг илэрхийлдэг төгсгөх нөхцөл. <дүрслэл>

(42) 부지런하다 [bujireonhada]

ажилсаг, хичээнгүй, хөдөлмөрч, чармайлтай, идэвх зүтгэлтэй

залхуурахгүй тууштай, хичээнгүйлэн хийх хандлагатай.

부지런한 사람이 성공할 수 있어요.

bujireonhan sarami seonggonghal su isseoyo.

부지런하+ㄴ 사람+이 성공하+[ㄹ 수 있]+어요.
 부지런한   성공할 수 있어요

부지런하다 : ажилсаг, хичээнгүй, хөдөлмөрч, чармайлтай, идэвх зүтгэлтэй

-ㄴ : өмнөх үгийг тодотгол гишүүний үүрэгтэй болгож, одоогийн байдлыг илэрхийлдэг нөхцөл.

사람 : хүн

이 : ямар нэгэн төлөв, байдлын субьект, мөн үйл хөдлөлийн эзэн болохыг илэрхийлэх нөхцөл.

성공하다 : амжилтанд хүрэх, биелүүлэх, бүтээх

-ㄹ 수 있다 : ямар нэгэн үйл хөдлөл, байдал өрнөх боломжтой болохыг илэрхийлэх хэллэг.

-어요 : (хүндэтгэлийн энгийн үг хэллэг) ямар нэгэн зүйлийг хүүрнэх, асуух, тушаах, уриалах явдлыг илэрхийлдэг төгсгөх нөхцөл. <дүрслэл>

(43) 착하다 [chakada]

томоотой, даруу, төлөв, цайлган цагаан сэтгэл

сэтгэл буюу хийж үйлдэж байгаа нь сайн, зөв шударга, найрсаг.

그녀는 마음씨가 <u>착해요</u>.

geunyeoneun maeumssiga chakaeyo.

그녀+는 마음씨+가 <u>착하</u>+여요.
$\qquad$ 착해요

그녀 : тэр эмэгтэй, тэр бүсгүй

는 : өгүүлбэрт ярианы сэдэв болж буйг илэрхийлдэг нөхцөл.

마음씨 : зан ааш, зан байдал, зан ааль, зан араншин

가 : ямар нэгэн төлөв, байдлын субьект, мөн үйл хөдлөлийн эзэн болохыг илэрхийлэх нөхцөл.

착하다 : томоотой, даруу, төлөв, цайлган цагаан сэтгэл

-여요 : (хүндэтгэлийн энгийн үг хэллэг) ямар нэгэн зүйлийг хүүрнэх, асуух, тушаах, уриалах явдлыг илэрхийлдэг төгсгөх нөхцөл. <дүрслэл>

(44) 친절하다 [chinjeolhada]

ээлдэг байх, найрсаг байх, элэгсэг байх

хүнтэй харьцах хандлага нь ээлдэг зөөлөн байх.

가게 주인은 모든 손님에게 <u>친절해요</u>.

gage juineun modeun sonnimege chinjeolhaeyo.

가게 주인+은 모든 손님+에게 <u>친절하</u>+여요.
$\qquad$ 친절해요

가게 : дэлгүүр

주인 : эзэн

은 : өгүүлбэрт ямар зүйл ярианы сэдэв болж буйг илэрхийлдэг нөхцөл.

모든 : бүх, бүгд, нийт

손님 : үйлчлүүлэгч

에게 : ямар нэгэн үйлдлийн нөлөөг авч буй зүйлийг илэрхийлдэг нөхцөл.

친절하다 : ээлдэг байх, найрсаг байх, элэгсэг байх

-여요 : (хүндэтгэлийн энгийн үг хэллэг) ямар нэгэн зүйлийг хүүрнэх, асуух, тушаах, уриалах явдлыг илэрхийлдэг төгсгөх нөхцөл. <дүрслэл>

(45) 날씬하다 [nalssinhada]

гоолиг, гуалиг, нарийн

үзэмжтэй, нарийхан өндөр бие.

모델은 몸매가 <u>날씬해요</u>.

modereun mommaega nalssinhaeyo.

모델+은 몸매+가 <u>날씬하</u>+여요.

날씬해요

모델 : модель, загвар өмсөгч

은 : өгүүлбэрт ямар зүйл ярианы сэдэв болж буйг илэрхийлдэг нөхцөл.

몸매 : биеийн галбир

가 : ямар нэгэн төлөв, байдлын субьект, мөн үйл хөдлөлийн эзэн болохыг илэрхийлэх нөхцөл.

날씬하다 : гоолиг, гуалиг, нарийн

-여요 : (хүндэтгэлийн энгийн үг хэллэг) ямар нэгэн зүйлийг хүүрнэх, асуух, тушаах, уриалах явдлыг илэрхийлдэг төгсгөх нөхцөл. <дүрслэл>

(46) 뚱뚱하다 [ttungttunghada]

бүдүүн, тарган, махлаг, мариалаг

таргалж, бие өргөөшөө бүдүүрч зузаарах.

요즘은 <u>뚱뚱한</u> 청소년이 많아졌어요.

yojeumeun ttungttunghan cheongsonyeoni manajeosseoyo.

요즘+은 뚱뚱하+ㄴ 청소년+이 많아지+었+어요.
　　　　　뚱뚱한　　　　　　　　많아졌어요

요즘 : саяхан, сүүлийн үе, ойрмогхон
은 : өгүүлбэрт ямар зүйл ярианы сэдэв болж буйг илэрхийлдэг нөхцөл.
뚱뚱하다 : бүдүүн, тарган, махлаг, мариалаг
-ㄴ : өмнөх үгийг тодотгол гишүүний үүрэгтэй болгож, одоогийн байдлыг илэрхийлдэг нөхцөл.
청소년 : өсвөр нас,өсвөр үе, өсвөр үеийнхэн
이 : ямар нэгэн төлөв, байдлын субьект, мөн үйл хөдлөлийн эзэн болохыг илэрхийлэх нөхцөл.
많아지다 : ихсэх, олширох, нэмэгдэх
-었- : ямар нэгэн хэрэг явдал өнгөрсөн үед болж өнгөрсөн буюу тухайн үйлийн үр дүн өнөөг хүртэл үргэлжилж буй нөхцөл байдлыг илэрхийлдэг нөхцөл.
-어요 : (хүндэтгэлийн энгийн үг хэллэг) ямар нэгэн зүйлийг хүүрнэх, асуух, тушаах, уриалах явдлыг илэрхийлдэг төгсгөх нөхцөл. <дүрслэл>

(47) 아름답다 [areumdapda]

үзэсгэлэнтэй, сайхан

харагдаж буй зүйл, дуу хоолой, өнгө зэрэг нүд чихийг баясгахуйц байх.

여기 경치가 무척 <u>아름다워요</u>.

yeogi gyeongchiga mucheok areumdawoyo.

여기 경치+가 무척 <u>아름답(아름다우)</u>+어요.
　　　　　　　　　아름다워요

여기 : энэ, энд
경치 : байгалийн үзэмж
가 : ямар нэгэн төлөв, байдлын субьект, мөн үйл хөдлөлийн эзэн болохыг илэрхийлэх нөхцөл.
무척 : маш, асар, туйлын
아름답다 : үзэсгэлэнтэй, сайхан
-어요 : (хүндэтгэлийн энгийн үг хэллэг) ямар нэгэн зүйлийг хүүрнэх, асуух, тушаах, уриалах явдлыг илэрхийлдэг төгсгөх нөхцөл. <дүрслэл>

(48) 어리다 [eorida]

бага балчир, насанд хүрээгүй

нас бага байх.

내 동생은 아직 <u>어려요.</u>

nae dongsaengeun ajik eoryeoyo.

<u>나</u>+의 동생+은 아직 <u>어리</u>+어요.
　내　　　　　　　　　　어려요

나 : би

의 : өмнөх үг хойдох үгтэй эзэмшил, харьяа, хэрэглэгдэхүүн, сэдвийн хамааралтай болохыг илэрхийлсэн нөхцөл.

동생 : дүү

은 : өгүүлбэрт ямар зүйл ярианы сэдэв болж буйг илэрхийлдэг нөхцөл.

아직 : хараахан

어리다 : бага балчир, насанд хүрээгүй

-어요 : (хүндэтгэлийн энгийн үг хэллэг) ямар нэгэн зүйлийг хүүрнэх, асуух, тушаах, уриалах явдлыг илэрхийлдэг төгсгөх нөхцөл. <дүрслэл>

(49) 예쁘다 [yeppeuda]

хөөрхөн

царай сайхан үзэсгэлэнтэй.

구름이 참 <u>예뻐요.</u>

gureumi cham yeppeoyo.

구름+이 참 <u>예쁘(예쁘)</u>+어요.
　　　　　　　예뻐요

구름 : үүл

이 : ямар нэгэн төлөв, байдлын субьект, мөн үйл хөдлөлийн эзэн болохыг илэрхийлэх нөхцөл.

참 : үнэхээр

예쁘다 : хөөрхөн

-어요 : (хүндэтгэлийн энгийн үг хэллэг) ямар нэгэн зүйлийг хүүрнэх, асуух, тушаах, уриалах явдлыг илэрхийлдэг төгсгөх нөхцөл. <дүрслэл>

(50) 젊다 [jeomda]

залуу, идэр

нас нь ид өрнөх үедээ байх.

이 회사에는 <u>젊</u>은 사람들이 많아요.

i hoesaeneun jeolmeun saramdeuri manayo.

이 회사+에+는 젊+은 사람+들+이 많+아요.

이 : энэ

회사 : аж ахуйн нэгж, пүүс, компани

에 : өмнөх үг ямар нэгэн газар буюу байр болохыг илэрхийлж буй нөхцөл.

는 : өгүүлбэрт ярианы сэдэв болж буйг илэрхийлдэг нөхцөл.

젊다 : залуу, идэр

-은 : өмнөх үгийг тодотгол гишүүний үүрэгтэй болгож одоогийн нөхцөл байдлыг илэрхийлж буй нөхцөл.

사람 : хүн

들 : олон тооны утга нэмдэг дагавар.

이 : ямар нэгэн төлөв, байдлын субьект, мөн үйл хөдлөлийн эзэн болохыг илэрхийлэх нөхцөл.

많다 : олон, их, арвин

-아요 : (хүндэтгэлийн энгийн үг хэллэг) ямар нэгэн зүйлийг хүүрнэх, асуух, тушаах, уриалах явдлыг илэрхийлдэг төгсгөх нөхцөл. <дүрслэл>

(51) 똑똑하다 [ttokttokada]

ухаантай, ухаалаг, сэргэлэн, цовоо, овсгоотой, толгойтой

ухаан сайтай сэргэлэн байх.

친구는 <u>똑똑해서</u> 공부를 <u>잘해요</u>.

chinguneun ttokttokaeseo gongbureul jalhaeyo.

친구+는 <u>똑똑하</u>+여서 공부+를 <u>잘하</u>+여요.
　　　　　똑똑해서　　　　　**잘해요**

친구 : найз, анд нөхөр

는 : өгүүлбэрт ярианы сэдэв болж буйг илэрхийлдэг нөхцөл.

똑똑하다 : ухаантай, ухаалаг, сэргэлэн, цовоо, овсгоотой, толгойтой

-여서 : учир шалтгаан буюу үндэслэлийг илэрхийлдэг холбох нөхцөл.

공부 : хичээл сурлага, судалгаа, хичээл хийх, сурах, судлах

를 : үйл хөдлөл шууд нөлөөлж буй тусагдахууныг илэрхийлэх нөхцөл.

잘하다 : сайн хийх, чадварлаг хийх, сайн ярих

-여요 : (хүндэтгэлийн энгийн үг хэллэг) ямар нэгэн зүйлийг хүүрнэх, асуух, тушаах, уриалах явдлыг илэрхийлдэг төгсгөх нөхцөл. <дүрслэл>

(52) 못하다 [motada]

ХҮРЭХГҮЙ, ДҮЙЦЭХГҮЙ

харьцуулж үзэхэд хэмжээ түвшин нь тухайн чинээнд хүрэхгүй байх.

음식 맛이 예전보다 못해요.

eumsik masi yejeonboda motaeyo.

음식 맛+이 예전+보다 못하+여요.
못해요

음식 : идэх юм, хоол, идээ

맛 : амт

이 : ямар нэгэн төлөв, байдлын субьект, мөн үйл хөдлөлийн эзэн болохыг илэрхийлэх нөхцөл.

예전 : хуучин, урьдын, өмнөх

보다 : хоорондоо ялгаатай зүйлийг харьцуулах үед харьцуулж буй зүйлийг илэрхийлдэг нэрийн нөхцөл.

못하다 : хүрэхгүй, дүйцэхгүй

-여요 : (хүндэтгэлийн энгийн үг хэллэг) ямар нэгэн зүйлийг хүүрнэх, асуух, тушаах, уриалах явдлыг илэрхийлдэг төгсгөх нөхцөл. <дүрслэл>

(53) 쉽다 [swipda]

амар, хялбар

хийхэд хүнд биш буюу хэцүү биш байх.

시험 문제가 쉬웠어요.

siheom munjega swiwosseoyo.

시험 문제+가 쉽(쉬우)+었+어요.
쉬웠어요

시험 : шалгалт, шүүлэг

문제 : асуулт

가 : ямар нэгэн төлөв, байдлын субьект, мөн үйл хөдлөлийн эзэн болохыг илэрхийлэх нөхцөл.

쉽다 : амар, хялбар

-었- : ямар нэгэн хэрэг явдал өнгөрсөн үед болж өнгөрсөн буюу тухайн үйлийн үр дүн өнөөг хүртэл үргэлжилж буй нөхцөл байдлыг илэрхийлдэг нөхцөл.

-어요 : (хүндэтгэлийн энгийн үг хэллэг) ямар нэгэн зүйлийг хүүрнэх, асуух, тушаах, уриалах явдлыг илэрхийлдэг төгсгөх нөхцөл. <дүрслэл>

(54) 어렵다 [eoryeopda]

ХЭЦҮҮ, ХҮНД, БЭРХ

хийхэд төвөгтэй ба хүч орох.

수학 문제는 항상 <u>어려워요</u>.

suhak munjeneun hangsang eoryeowoyo.

수학 문제+는 항상 <u>어렵(어려우)+어요</u>.

어려워요

수학 : математик, тоозүй

문제 : асуулт

는 : өгүүлбэрт ярианы сэдэв болж буйг илэрхийлдэг нөхцөл.

항상 : ямагт, хэзээд

어렵다 : хэцүү, хүнд, бэрх

-어요 : (хүндэтгэлийн энгийн үг хэллэг) ямар нэгэн зүйлийг хүүрнэх, асуух, тушаах, уриалах явдлыг илэрхийлдэг төгсгөх нөхцөл. <дүрслэл>

(55) 훌륭하다 [hullyunghada]

гарамгай, гайхамшигтай, агуу, үзэсгэлэнтэй, сайхан,

онцгой сайхан

магтууштай маш сайн, давамгай байх.

이 차의 성능은 <u>훌륭해요</u>.

i chae seongneungeun hullyunghaeyo.

이 차+의 성능+은 <u>훌륭하+여요</u>.

훌륭해요

이 : энэ

차 : машин, тэрэг

의 : өмнөх үг хойдох үгийн шинж чанар, тоо хэмжээг зааглаж байгааг илэрхийлдэг нөхцөл.

성능 : өмнөх үг хойдох үгийн шинж чанар, тоо хэмжээг зааглаж байгааг илэрхийлдэг нөхцөл.

은 : өгүүлбэрт ямар зүйл ярианы сэдэв болж буйг илэрхийлдэг нөхцөл.

훌륭하다 : гарамгай, гайхамшигтай, агуу, үзэсгэлэнтэй, сайхан, онцгой сайхан

-여요 : (хүндэтгэлийн энгийн үг хэллэг) ямар нэгэн зүйлийг хүүрнэх, асуух, тушаах, уриалах явдлыг илэрхийлдэг төгсгөх нөхцөл. ⟨дүрслэл⟩

(56) 힘들다 [himdeulda]

хэцүү, бэрх

хүч их зарцуулагдах.

이 동작은 너무 <u>힘들어요</u>.

i dongjageun neomu himdeureoyo.

이 동작+은 너무 힘들+어요.

이 : энэ

동작 : хөдөлгөөн, үйлдэл

은 : өгүүлбэрт ямар зүйл ярианы сэдэв болж буйг илэрхийлдэг нөхцөл.

너무 : дэндүү, хэтэрхий, хэт

힘들다 : хэцүү, бэрх

-어요 : (хүндэтгэлийн энгийн үг хэллэг) ямар нэгэн зүйлийг хүүрнэх, асуух, тушаах, уриалах явдлыг илэрхийлдэг төгсгөх нөхцөл. ⟨дүрслэл⟩

(57) 궁금하다 [gunggeumhada]

сониучирхах, сонирхох, мэдэхийг хүсэх

ямар нэг зүйлийг маш их мэдэхийг хүсэх.

무슨 화장품을 쓰는지 궁금해요?

museun hwajangpumeul sseuneunji gunggeumhaeyo?

무슨 화장품+을 쓰+는지 <u>궁금하+여요</u>?
궁금해요

무슨 : ямар

화장품 : будаг шунх, гоо сайхны бүтээгдэхүүн

을 : үйл хөдлөл шууд нөлөөлж буй тусагдахууныг илэрхийлэх нөхцөл.

쓰다 : хэрэглэх, ашиглах

-는지 : хойно орж байгаа агуулгын тодорхой бус учир шалтгаан буюу шийдвэрийг илэрхийлдэг холбох нөхцөл.

궁금하다 : сониучирхах, сонирхох, мэдэхийг хүсэх

-여요 : (хүндэтгэлийн энгийн үг хэллэг) ямар нэгэн зүйлийг хүүрнэх, асуух, тушаах, уриалах явдлыг илэрхийлдэг төгсгөх нөхцөл. <асуулт>

(58) 옳다 [olta]

зөв, зүйтэй

жишигт нийцсэн зөв.

그는 평생 옳은 삶을 살아 왔어요.

geuneun pyeongsaeng oreun salmeul sara wasseoyo.

그+는 평생 옳+은 삶+을 <u>살+[아 오]+았+어요</u>.
살아 왔어요

그 : тэр

는 : өгүүлбэрт ярианы сэдэв болж буйг илэрхийлдэг нөхцөл.

평생 : насан турш

옳다 : зөв, зүйтэй

-은 : өмнөх үгийг тодотгол гишүүний үүрэгтэй болгож одоогийн нөхцөл байдлыг илэрхийлж буй нөхцөл.

삶 : амьдрал

을 : өгүүлэхүүн гишүүн нэрийн шинжтэй тусагдахуун гишүүн болохыг заах нөхцөл.

살다 : амьдрах, аж төрөх

-아 오다 : өмнөх үгийн илэрхийлж буй үйлдэл буюу байдал нь ямар нэгэн жишигт ойртонгоо үргэлжлэх явдлыг илэрхийлдэг үг хэллэг.

-았- : ямар нэгэн үйл явдал өнгөрсөн цагт болж дууссан буюу тухайн үйл явдлын үр дүн өнөөг хүртэл үргэлжилж буй байдлыг илэрхийлдэг нөхцөл.

-어요 : (хүндэтгэлийн энгийн үг хэллэг) ямар нэгэн зүйлийг хүүрнэх, асуух, тушаах, уриалах явдлыг илэрхийлдэг төгсгөх нөхцөл. <дүрслэл>

(59) 바쁘다 [bappeuda]

завгүй, зав чөлөөгүй

хийх ажил ихтэй байх буюу цаг завгүйгээс өөр зүйл хийх боломжгүй байх.

식사를 못 할 정도로 바빠요.

siksareul mot hal jeongdoro bappayo.

식사+를 못 하+ㄹ 정도+로 바쁘(바쁘)+아요.
　　　　　　 할　　　　　　 바빠요

식사 : хоол
를 : үйл хөдлөл шууд нөлөөлж буй тусагдахууныг илэрхийлэх нөхцөл.
못 : -гүй байх
하다 : аливаа үйл хөдлөл, хөдөлгөөн, ажиллагаа зэргийг гүйцэтгэх.
-ㄹ : өмнөх үгийг тодотгол гишүүний үүрэгтэй болгож хувиргадаг нөхцөл.
정도 : хэм хэмжээ
로 : ямар нэгэн үйл хэргийн арга барилыг илэрхийлж буй нөхцөл.
바쁘다 : завгүй, зав чөлөөгүй
-아요 : (хүндэтгэлийн энгийн үг хэллэг) ямар нэгэн зүйлийг хүүрнэх, асуух, тушаах, уриалах явдлыг илэрхийлдэг төгсгөх нөхцөл. <дүрслэл>

(60) 한가하다 [hangahada]

завтай байх, чөлөөтэй байх

зав чөлөөтэй байх.

학교가 방학이어서 한가해요.

hakgyoga banghagieoseo hangahaeyo.

학교+가 방학+이+어서 한가하+여요.
　　　　　　　　 한가해요

학교 : сургууль

가 : ямар нэгэн төлөв, байдлын субьект, мөн үйл хөдлөлийн эзэн болохыг илэрхийлэх нөхцөл.

방학 : сургуулийн амралт, оюутны амралт, улирлын амралт

이다 : эзэн биеийн зааж буй обьектын шинж чанар, төрөл зүйлийг тодорхойлох утгыг илэрхийлэх өгүүлэхүүний тийн ялгалын нөхцөл.

-어서 : учир шалтгаан буюу үндэслэлийг илэрхийлдэг холбох нөхцөл.

한가하다 : завтай байх, чөлөөтэй байх

-여요 : (хүндэтгэлийн энгийн үг хэллэг) ямар нэгэн зүйлийг хүүрнэх, асуух, тушаах, уриалах явдлыг илэрхийлдэг төгсгөх нөхцөл. <дүрслэл>

(61) 달다 [dalda]

чихэрлэг

зөгийн бал ба элсэн чихрийн амттай адил.

초콜릿이 너무 달아요.

chokollisi neomu darayo.

초콜릿+이 너무 달+아요.

초콜릿 : шоколад

이 : ямар нэгэн төлөв, байдлын субьект, мөн үйл хөдлөлийн эзэн болохыг илэрхийлэх нөхцөл.

너무 : дэндүү, хэтэрхий, хэт

달다 : чихэрлэг

-아요 : (хүндэтгэлийн энгийн үг хэллэг) ямар нэгэн зүйлийг хүүрнэх, асуух, тушаах, уриалах явдлыг илэрхийлдэг төгсгөх нөхцөл. <дүрслэл>

(62) 맛없다 [madeopda]

амтгүй, амт муутай

идэх юм, хоол унд амт шимтгүй байх.

배가 불러서 다 맛없어요.

baega bulleoseo da maseopseoyo.

배+가 불러(불르)+어서 다 맛없+어요.
　　　　불러서

배 : гэдэс, ходоод

가 : ямар нэгэн төлөв, байдлын субьект, мөн үйл хөдлөлийн эзэн болохыг илэрхийлэх нөхцөл.

부르다 : цадах, дүүрэх

-어서 : учир шалтгаан буюу үндэслэлийг илэрхийлдэг холбох нөхцөл.

다 : бүгд, цөм, бүх, бүлт

맛없다 : амтгүй, амт муутай

-어요 : (хүндэтгэлийн энгийн үг хэллэг) ямар нэгэн зүйлийг хүүрнэх, асуух, тушаах, уриалах явдлыг илэрхийлдэг төгсгөх нөхцөл. <дүрслэл>

(63) 맛있다 [maditda]

амттай, амтлаг

амт чанар сайн байх.

어머니가 해 주신 음식이 제일 <u>맛있어요</u>.

eomeoniga hae jusin eumsigi jeil masisseoyo.

어머니+가 <u>하+[여 주]</u>+시+ㄴ 음식+이 제일 맛있+어요.
　　　　　　 해 주신

어머니 : ээж, эх

가 : ямар нэгэн төлөв, байдлын субьект, мөн үйл хөдлөлийн эзэн болохыг илэрхийлэх нөхцөл.

하다 : хийх, бэлдэх, тохөөрөх

-여 주다 : бусдад зориулж өмнөх үгийн илэрхийлж буй үйлдлийг хийх явдлыг илэрхийлдэг үг хэллэг.

-시- : ямар нэгэн үйлдэл буюу байдлын эзэн биеийг хүндэтгэх утгыг илэрхийлдэг нөхцөл.

-ㄴ : өмнөх үгийг тодотгол гишүүний үүрэгтэй болгож, хэрэг явдал буюу үйлдэл нь бүрэн төгс болсон, тухайн байдал үргэлжилж буйг илэрхийлдэг нөхцөл.

음식 : идэх юм, хоол, идээ

이 : ямар нэгэн төлөв, байдлын субьект, мөн үйл хөдлөлийн эзэн болохыг илэрхийлэх нөхцөл.

제일 : хамгийн, тэргүүн, нэгдүгээр

맛있다 : амттай, амтлаг

-어요 : (хүндэтгэлийн энгийн үг хэллэг) ямар нэгэн зүйлийг хүүрнэх, асуух, тушаах, уриалах явдлыг илэрхийлдэг төгсгөх нөхцөл. <дүрслэл>

(64) 맵다 [maepda]

халуун ногоотой

чинжүү, гич мэтийн дарвигнуулсан амттай, хэлний үзүүрийг ирвэгнүүлсэн мэдрэмж төрүүлдэг байх.

김치가 너무 <u>매워요</u>.

gimchiga neomu maewoyo.

김치+가 너무 <u>맵(매우)</u>+어요.
　　　　　　　　매워요

김치 : кимчи
가 : ямар нэгэн төлөв, байдлын субьект, мөн үйл хөдлөлийн эзэн болохыг илэрхийлэх нөхцөл.
너무 : дэндүү, хэтэрхий, хэт
맵다 : халуун ногоотой
-어요 : (хүндэтгэлийн энгийн үг хэллэг) ямар нэгэн зүйлийг хүүрнэх, асуух, тушаах, уриалах явдлыг илэрхийлдэг төгсгөх нөхцөл. <дүрслэл>

(65) 시다 [sida]

исгэлэн

амт нь цагаан цуу мэт.

과일이 모두 <u>셔요</u>.

gwairi modu syeoyo.

과일+이 모두 <u>시</u>+어요.
　　　　　　　셔요

과일 : жимс
이 : ямар нэгэн төлөв, байдлын субьект, мөн үйл хөдлөлийн эзэн болохыг илэрхийлэх нөхцөл.
모두 : бүгд, бүгдээрээ, цөмөөрөө, хамт
시다 : исгэлэн
-어요 : (хүндэтгэлийн энгийн үг хэллэг) ямар нэгэн зүйлийг хүүрнэх, асуух, тушаах, уриалах явдлыг илэрхийлдэг төгсгөх нөхцөл. <дүрслэл>

(66) 시원하다 [siwonhada]

СЭНГЭНЭСЭН, ХҮЙТЭН

хоол унд идэхэд тохиромжтой хүйтэн, сэнгэнэсэн юмуу халуун байх.

국물이 시원해요.

gungmuri siwonhaeyo.

국물+이 시원하+여요.
　　　　시원해요

국물 : шөл
이 : ямар нэгэн төлөв, байдлын субьект, мөн үйл хөдлөлийн эзэн болохыг илэрхийлэх нөхцөл.
시원하다 : сэнгэнэсэн, хүйтэн
-여요 : (хүндэтгэлийн энгийн үг хэллэг) ямар нэгэн зүйлийг хүүрнэх, асуух, тушаах, уриалах явдлыг илэрхийлдэг төгсгөх нөхцөл. <дүрслэл>

(67) 싱겁다 [singgeopda]

давс багатай, сул

хоолны давсны хэмжээ бага байх.

찌개에 물을 넣어서 싱거워요.

jjigaee mureul neoeoseo singgeowoyo.

찌개+에 물+을 넣+어서 싱겁(싱거우)+어요.
　　　　　　　　　　싱거워요

찌개 : жигэ, шөл
에 : өмнөх үг ямар нэгэн үйлдэл буюу үйлчлэлийн тусагдахуун болохыг илэрхийлж буй нөхцөл.
물 : ус
을 : үйл хөдлөл шууд нөлөөлж буй тусагдахууныг илэрхийлэх нөхцөл.
넣다 : хийх, холих
-어서 : учир шалтгаан буюу үндэслэлийг илэрхийлдэг холбох нөхцөл.
싱겁다 : давс багатай, сул
-어요 : (хүндэтгэлийн энгийн үг хэллэг) ямар нэгэн зүйлийг хүүрнэх, асуух, тушаах, уриалах явдлыг илэрхийлдэг төгсгөх нөхцөл. <дүрслэл>

(68) 쓰다 [sseuda]

гашуун

эм шиг амттай байх.

아이가 먹기에 약이 너무 <u>써요</u>.

aiga meokgie yagi neomu sseoyo.

아이+가 먹+기+에 약+이 너무 <u>쓰(ㅆ)+어요</u>.
써요

아이 : хүүхэд

가 : ямар нэгэн төлөв, байдлын субьект, мөн үйл хөдлөлийн эзэн болохыг илэрхийлэх нөхцөл.

먹다 : уух

-기 : өмнөх үгийг нэр үгийн үүрэгтэй болгодог нөхцөл.

에 : өмнөх үг ямар нэгэн зүйлийн болзол, орчин, нөхцөл болохыг илэрхийлж буй нөхцөл.

약 : эм, тан

이 : ямар нэгэн төлөв, байдлын субьект, мөн үйл хөдлөлийн эзэн болохыг илэрхийлэх нөхцөл.

너무 : дэндүү, хэтэрхий, хэт

쓰다 : гашуун

-어요 : (хүндэтгэлийн энгийн үг хэллэг) ямар нэгэн зүйлийг хүүрнэх, асуух, тушаах, уриалах явдлыг илэрхийлдэг төгсгөх нөхцөл. <дүрслэл>

(69) 짜다 [jjada]

шорвог, давстай

амт нь давстай адил байх.

소금을 많이 넣어서 국물이 <u>짜요</u>.

sogeumeul mani neoeoseo gungmuri jjayo.

소금+을 많이 넣+어서 국물+이 <u>짜+아요</u>.
짜요

소금 : давс

을 : үйл хөдлөл шууд нөлөөлж буй тусагдахууныг илэрхийлэх нөхцөл.

많이 : их, олон
넣다 : хийх, холих
-어서 : учир шалтгаан буюу үндэслэлийг илэрхийлдэг холбох нөхцөл.
국물 : шөл
이 : ямар нэгэн төлөв, байдлын субьект, мөн үйл хөдлөлийн эзэн болохыг илэрхийлэх нөхцөл.
짜다 : шорвог, давстай
-아요 : (хүндэтгэлийн энгийн үг хэллэг) ямар нэгэн зүйлийг хүүрнэх, асуух, тушаах, уриалах явдлыг илэрхийлдэг төгсгөх нөхцөл. <дүрслэл>

(70) 깨끗하다 [kkaekkeutada]

цэвэр, цэвэрхэн

эд зүйл бохир заваангүй байх.

화장실이 정말 깨끗해요.

hwajangsiri jeongmal kkaekkeutaeyo.

화장실+이 정말 깨끗하+여요.
　　　　　　　　 깨끗해요

화장실 : бие засах газар, жорлон
이 : ямар нэгэн төлөв, байдлын субьект, мөн үйл хөдлөлийн эзэн болохыг илэрхийлэх нөхцөл.
정말 : үнэхээр
깨끗하다 : цэвэр, цэвэрхэн
-여요 : (хүндэтгэлийн энгийн үг хэллэг) ямар нэгэн зүйлийг хүүрнэх, асуух, тушаах, уриалах явдлыг илэрхийлдэг төгсгөх нөхцөл. <дүрслэл>

(71) 더럽다 [deoreopda]

бохир, заваан

хир буртаг наалдсан бохир заваан.

차가 더러워서 세차를 했어요.

chaga deoreowoseo sechareul haesseoyo.

차+가 더럽(더러우)+어서 세차+를 하+였+어요.
　　 더러워서　　　　　　　 했어요

차 : машин, тэрэг

가 : ямар нэгэн төлөв, байдлын субьект, мөн үйл хөдлөлийн эзэн болохыг илэрхийлэх нөхцөл.

더럽다 : бохир, заваан

-어서 : учир шалтгаан буюу үндэслэлийг илэрхийлдэг холбох нөхцөл.

세차 : машин угаах

를 : үйл хөдлөл шууд нөлөөлж буй тусгагдахууныг илэрхийлэх нөхцөл.

하다 : аливаа үйл хөдлөл, хөдөлгөөн, ажиллагаа зэргийг гүйцэтгэх.

-였- : ямар нэгэн үйл явдал өнгөрсөн цагт төгссөн буюу тухайн үйл явдлын үр дүн өнөөг хүртэл үргэлжилж буй байдлыг илэрхийлдэг нөхцөл.

-어요 : (хүндэтгэлийн энгийн үг хэллэг) ямар нэгэн зүйлийг хүүрнэх, асуух, тушаах, уриалах явдлыг илэрхийлдэг төгсгөх нөхцөл. <дүрслэл>

(72) 불편하다 [bulpyeonhada]

таагүй, тохьгүй, амар хялбар биш, тааламжгүй

ямар нэг зүйлийг хэрэглэж ашиглахад таатай, амар хялбар биш.

이곳은 교통이 불편해요.

igoseun gyotongi bulpyeonhaeyo.

이곳+은 교통+이 불편하+여요.
　　　　　　　　불편해요

이곳 : энэ газар

은 : өгүүлбэрт ямар зүйл ярианы сэдэв болж буйг илэрхийлдэг нөхцөл.

교통 : зам тээвэр

이 : ямар нэгэн төлөв, байдлын субьект, мөн үйл хөдлөлийн эзэн болохыг илэрхийлэх нөхцөл.

불편하다 : таагүй, тохьгүй, амар хялбар биш, тааламжгүй

-여요 : (хүндэтгэлийн энгийн үг хэллэг) ямар нэгэн зүйлийг хүүрнэх, асуух, тушаах, уриалах явдлыг илэрхийлдэг төгсгөх нөхцөл. <дүрслэл>

(73) 시끄럽다 [sikkeureopda]

шуугиантай, дуу чимээ ихтэй, дуу шуугиантай

сонсоход дургүй хүрмээр маш их дуу чимээтэй байх.

시끄러운 소리가 들려요.
sikkeureoun soriga deullyeoyo.

시끄럽(시끄러우)+ㄴ 소리+가 들리+어요.
　　시끄러운　　　　　　　　　들려요

시끄럽다 : шуугиантай, дуу чимээ ихтэй, дуу шуугиантай
-ㄴ : өмнөх үгийг тодотгол гишүүний үүрэгтэй болгож, одоогийн байдлыг илэрхийлдэг нөхцөл.
소리 : дуу, чимээ
가 : ямар нэгэн төлөв, байдлын субьект, мөн үйл хөдлөлийн эзэн болохыг илэрхийлэх нөхцөл.
들리다 : сонсогдох, сонстох
-어요 : (хүндэтгэлийн энгийн үг хэллэг) ямар нэгэн зүйлийг хүүрнэх, асуух, тушаах, уриалах явдлыг илэрхийлдэг төгсгөх нөхцөл. <дүрслэл>

(74) 조용하다 [joyonghada]
чимээгүй, чимээ аниргүй, нам жим, нам гүм, амар тайван
ямар ч дуу сонсогдохгүй байх.

거리가 조용해요.
georiga joyonghaeyo.

거리+가 조용하+여요.
　　　　조용해요

거리 : гудамж
가 : ямар нэгэн төлөв, байдлын субьект, мөн үйл хөдлөлийн эзэн болохыг илэрхийлэх нөхцөл.
조용하다 : чимээгүй, чимээ аниргүй, нам жим, нам гүм, амар тайван
-여요 : (хүндэтгэлийн энгийн үг хэллэг) ямар нэгэн зүйлийг хүүрнэх, асуух, тушаах, уриалах явдлыг илэрхийлдэг төгсгөх нөхцөл. <дүрслэл>

(75) 지저분하다 [jijeobunhada]
бохир, заваан
ямар нэгэн газар эмх цэгцгүй замбараагүй байх.

길이 너무 <u>지저분해요</u>.

giri neomu jijeobunhaeyo.

길+이 너무 <u>지저분하+여요</u>.
　　　　　　지저분해요

길 : зам

이 : ямар нэгэн төлөв, байдлын субьект, мөн үйл хөдлөлийн эзэн болохыг илэрхийлэх нөхцөл.

너무 : дэндүү, хэтэрхий, хэт

지저분하다 : бохир, заваан

-여요 : (хүндэтгэлийн энгийн үг хэллэг) ямар нэгэн зүйлийг хүүрнэх, асуух, тушаах, уриалах явдлыг илэрхийлдэг төгсгөх нөхцөл. <дүрслэл>

(76) 비싸다 [bissada]

ҮНЭТЭЙ

барааны үнэ буюу ямар нэгэн юмыг хийхэд төлдөг зардал ердийнхөөс их байх.

백화점은 시장보다 가격이 <u>비싸요</u>.

baekwajeomeun sijangboda gagyeogi bissayo.

백화점+은 시장+보다 가격+이 <u>비싸+아요</u>.
　　　　　　　　　비싸요

백화점 : их дэлгүүр

은 : өгүүлбэрт ямар зүйл ярианы сэдэв болж буйг илэрхийлдэг нөхцөл.

시장 : зах

보다 : хоорондоо ялгаатай зүйлийг харьцуулах үед харьцуулж буй зүйлийг илэрхийлдэг нэрийн нөхцөл.

가격 : үнэ, ханш

이 : ямар нэгэн төлөв, байдлын субьект, мөн үйл хөдлөлийн эзэн болохыг илэрхийлэх нөхцөл.

비싸다 : үнэтэй

-아요 : (хүндэтгэлийн энгийн үг хэллэг) ямар нэгэн зүйлийг хүүрнэх, асуух, тушаах, уриалах явдлыг илэрхийлдэг төгсгөх нөхцөл. <дүрслэл>

(77) 싸다 [ssada]

ХЯМД, ТӨСӨР

үнэ нь ердийнхөөс бага, доогуур. үнэтэй биш.

이 동네는 집값이 <u>싸요</u>.

i dongneneun jipgapsi ssayo.

이 동네+는 집값+이 <u>싸</u>+<u>아요</u>.
싸요

이 : энэ

동네 : хороолол, тосгон

는 : өгүүлбэрт ярианы сэдэв болж буйг илэрхийлдэг нөхцөл.

집값 : байрны үнэ

이 : ямар нэгэн төлөв, байдлын субьект, мөн үйл хөдлөлийн эзэн болохыг илэрхийлэх нөхцөл.

싸다 : хямд, төсөр

-아요 : (хүндэтгэлийн энгийн үг хэллэг) ямар нэгэн зүйлийг хүүрнэх, асуух, тушаах, уриалах явдлыг илэрхийлдэг төгсгөх нөхцөл. <дүрслэл>

(78) 덥다 [deopda]

халуун

биед мэдрэгдэж байгаа дулааны хэм өндөр байх.

여름이 지났는데도 <u>더워요</u>.

yeoreumi jinanneundedo deowoyo.

여름+이 <u>지나</u>+<u>았</u>+<u>는데도</u> <u>덥(더우)</u>+<u>어요</u>.
지났는데도   더워요

여름 : зун

이 : ямар нэгэн төлөв, байдлын субьект, мөн үйл хөдлөлийн эзэн болохыг илэрхийлэх нөхцөл.

지나다 : өнгөрөх

-았- : ямар нэгэн үйл явдал өнгөрсөн цагт болж дууссан буюу тухайн үйл явдлын үр дүн өнөөг хүртэл үргэлжилж буй байдлыг илэрхийлдэг нөхцөл.

-는데도 : өмнөх байдлаас хамааралгүйгээр дараах байдал болсныг илэрхийлдэг үг хэллэг.

덥다 : халуун

-어요 : (хүндэтгэлийн энгийн үг хэллэг) ямар нэгэн зүйлийг хүүрнэх, асуух, тушаах, уриалах явдлыг илэрхийлдэг төгсгөх нөхцөл. <дүрслэл>

(79) 따뜻하다 [ttatteutada]

дулаан, дулаахан, халуун бүлээн

маш халуун бус сэтгэлд таарах, тохирсон хэмжээний дулаантай байх.

날씨가 <u>따뜻해요</u>.

nalssiga ttatteutaeyo.

날씨+가 <u>따뜻하+여요</u>.
　　　　　　따뜻해요

날씨 : цаг агаар

가 : ямар нэгэн төлөв, байдлын субьект, мөн үйл хөдлөлийн эзэн болохыг илэрхийлэх нөхцөл.

따뜻하다 : дулаан, дулаахан, халуун бүлээн

-여요 : (хүндэтгэлийн энгийн үг хэллэг) ямар нэгэн зүйлийг хүүрнэх, асуух, тушаах, уриалах явдлыг илэрхийлдэг төгсгөх нөхцөл. <дүрслэл>

(80) 맑다 [makda]

цэлмэг

үүл манан татаагүй цаг агаар сайхан байх.

가을 하늘은 푸르고 <u>맑아요</u>.

gaeul haneureun pureugo malgayo.

가을 하늘+은 푸르+고 맑+아요.

가을 : намар

하늘 : тэнгэр

은 : өгүүлбэрт ямар зүйл ярианы сэдэв болж буйг илэрхийлдэг нөхцөл.

푸르다 : тунгалаг, цэнхэр, хөх

-고 : хоёроос дээш тооны хэрэг явдлыг зэрэгцүүлэн холбоход хэрэглэдэг холбох нөхцөл.

맑다 : цэлмэг

-아요 : (хүндэтгэлийн энгийн үг хэллэг) ямар нэгэн зүйлийг хүүрнэх, асуух, тушаах, уриалах явдлыг илэрхийлдэг төгсгөх нөхцөл. <дүрслэл>

(81) 선선하다 [seonseonhada]

СЭРҮҮХЭН, СЭНГЭНЭН

яльгүй хүйтэн мэт санагдахаар зөөлөн, сэрүүхэн.

이제 아침저녁으로 선선해요.

ije achimjeonyeogeuro seonseonhaeyo.

이제 아침저녁+으로 선선하+여요.
선선해요

이제 : одоо

아침저녁 : өглөө орой

으로 : цаг хугацааг илэрхийлж буй нөхцөл.

선선하다 : сэрүүхэн, сэнгэнэн

-여요 : (хүндэтгэлийн энгийн үг хэллэг) ямар нэгэн зүйлийг хүүрнэх, асуух, тушаах, уриалах явдлыг илэрхийлдэг төгсгөх нөхцөл. <дүрслэл>

(82) 쌀쌀하다 [ssalssalhada]

СЭРҮҮН, ЖИХҮҮН, ХҮЙТЭВТЭР

бага зэрэг хүйтэн цаг агаар.

바람이 꽤 쌀쌀해요.

barami kkwae ssalssalhaeyo.

바람+이 꽤 쌀쌀하+여요.
쌀쌀해요

바람 : салхи

이 : ямар нэгэн төлөв, байдлын субьект, мөн үйл хөдлөлийн эзэн болохыг илэрхийлэх нөхцөл.

꽤 : нэлээн, нэлээд, тун их

쌀쌀하다 : сэрүүн, жихүүн, хүйтэвтэр

-여요 : (хүндэтгэлийн энгийн үг хэллэг) ямар нэгэн зүйлийг хүүрнэх, асуух, тушаах, уриалах явдлыг илэрхийлдэг төгсгөх нөхцөл. <дүрслэл>

(83) 춥다 [chupda]

ХҮЙТЭН

агаарын хэм бага байх.

날이 추우니 따뜻하게 입으세요.

nari chuuni ttatteutage ibeuseyo.

날+이 춥(추우)+니 따뜻하+게 입+으세요.
　　　　추우니

날 : өдөр

이 : ямар нэгэн төлөв, байдлын субьект, мөн үйл хөдлөлийн эзэн болохыг илэрхийлэх нөхцөл.

춥다 : хүйтэн

-니 : ард ирэх үгийн талаар өмнө ирэх үг нь учир шалтгаан буюу болзол болохыг илэрхийлдэг холбох нөхцөл.

따뜻하다 : дулаахан, дулаан

-게 : өмнөх агуулга ард нь зааж буй байдал, зорилго, үр дүн, арга барил, хэмжээ зэрэг болохыг илэрхийлдэг холбох нөхцөл.

입다 : өмсөх

-으세요 : (хүндэтгэлийн энгийн үг хэллэг) тайлбар, асуулт, тушаал, шаардлага зэрэг утгыг илэрхийлдэг төгсгөх нөхцөл. <тушаал>

(84) 흐리다 [heurida]

баргар, бүрхэг

үүл болон манангаас болоод цаг агаар тунгалаг биш байх.

안개 때문에 흐려서 앞이 안 보여요.

angae ttaemune heuryeoseo api an boyeoyo.

안개 때문+에 흐리+어서 앞+이 안 보이+어요.
　　　　　흐려서　　　　　　보여요

안개 : манан

때문 : болох, болж, болсон

에 : өмнөх үг ямар нэгэн үйл хэргийн учир шалтгаан болохыг илэрхийлж буй нөхцөл.

흐리다 : баргар, бүрхэг

-어서 : учир шалтгаан буюу үндэслэлийг илэрхийлдэг холбох нөхцөл.

앞 : өмнө

이 : ямар нэгэн төлөв, байдлын субьект, мөн үйл хөдлөлийн эзэн болохыг илэрхийлэх нөхцөл.

안 : эс, үл, үгүй, -гүй

보이다 : харагдах

-어요 : (хүндэтгэлийн энгийн үг хэллэг) ямар нэгэн зүйлийг хүүрнэх, асуух, тушаах, уриалах явдлыг илэрхийлдэг төгсгөх нөхцөл. <дүрслэл>

(85) 가늘다 [ganeulda]

нарийхан

хэлбэрийн хувьд өргөнөөрөө нарийн эсвэл зузаанаараараа нимгэн урт.

저는 손가락이 <u>가늘어요</u>.

jeoneun songaragi ganeureoyo.

저+는 손가락+이 가늘+어요.

저 : би

는 : өгүүлбэрт ярианы сэдэв болж буйг илэрхийлдэг нөхцөл.

손가락 : гарын хуруу

이 : ямар нэгэн төлөв, байдлын субьект, мөн үйл хөдлөлийн эзэн болохыг илэрхийлэх нөхцөл.

가늘다 : нарийхан

-어요 : (хүндэтгэлийн энгийн үг хэллэг) ямар нэгэн зүйлийг хүүрнэх, асуух, тушаах, уриалах явдлыг илэрхийлдэг төгсгөх нөхцөл. <дүрслэл>

(86) 같다 [gatda]

адил

хоорондоо өөр бус, ялгаатай биш

저는 여동생과 키가 <u>같아요</u>.

jeoneun yeodongsaenggwa kiga gatayo.

저+는 여동생+과 키+가 같+아요.

저 : би

는 : өгүүлбэрт ярианы сэдэв болж буйг илэрхийлдэг нөхцөл.

여동생 : эмэгтэй дүү, охин дүү

과 : харьцуулж буй зүйлийн тусагдахуун болох юмуу ямар нэгэн зүйлийн үндсэн хэм хэмжээ болохыг заах нэрийн нөхцөл

키 : өндөр

가 : ямар нэгэн төлөв, байдлын субьект, мөн үйл хөдлөлийн эзэн болохыг илэрхийлэх нөхцөл.

같다 : адил

-아요 : (хүндэтгэлийн энгийн үг хэллэг) ямар нэгэн зүйлийг хүүрнэх, асуух, тушаах, уриалах явдлыг илэрхийлдэг төгсгөх нөхцөл. <дүрслэл>

(87) 굵다 [gukda]

өргөн, бүдүүн, том, зузаан

ямар нэг урт биетийн хүрээ хэмжээ нь урт юм уу өргөн байх.

저는 허리가 <u>굵어요</u>.

jeoneun heoriga gulgeoyo.

저+는 허리+가 굵+어요.

저 : би

는 : өгүүлбэрт ярианы сэдэв болж буйг илэрхийлдэг нөхцөл.

허리 : бэлхүүс, бүсэлхий

가 : ямар нэгэн төлөв, байдлын субьект, мөн үйл хөдлөлийн эзэн болохыг илэрхийлэх нөхцөл.

굵다 : өргөн, бүдүүн, том, зузаан

-어요 : (хүндэтгэлийн энгийн үг хэллэг) ямар нэгэн зүйлийг хүүрнэх, асуух, тушаах, уриалах явдлыг илэрхийлдэг төгсгөх нөхцөл. <дүрслэл>

(88) 길다 [gilda]

урт

юмны хоёр талын үзүүр бие биенээсээ хол байх.

치마 길이가 <u>길어요</u>.
chima giriga gireoyo.

치마 길이+가 길+어요.

치마 : юбка, банзал
길이 : урт
가 : ямар нэгэн төлөв, байдлын субьект, мөн үйл хөдлөлийн эзэн болохыг илэрхийлэх нөхцөл.
길다 : урт
-어요 : (хүндэтгэлийн энгийн үг хэллэг) ямар нэгэн зүйлийг хүүрнэх, асуух, тушаах, уриалах явдлыг илэрхийлдэг төгсгөх нөхцөл. <дүрслэл>

(89) 깊다 [gipda]
ГҮН, ГҮНЗГИЙ
дээрээс доош мөн гаднаас дотор хүрэх зай хол байх.

물이 <u>깊으니</u> 들어가지 마세요.
muri gipeuni deureogaji maseyo.

물+이 깊+으니 <u>들어가+[지 말(마)]+세요</u>.
        들어가지 마세요

물 : ус
이 : ямар нэгэн төлөв, байдлын субьект, мөн үйл хөдлөлийн эзэн болохыг илэрхийлэх нөхцөл.
깊다 : гүн, гүнзгий
-으니 : ард ирэх үгийн талаар өмнө ирэх үг нь учир шалтгаан буюу болзол болохыг илэрхийлдэг холбох нөхцөл.
들어가다 : явж орох, дотогш орох
-지 말다 : өмнөх үгийн илэрхийлж буй үйлдлийг хийлгэхгүй байх явдлыг илэрхийлдэг үг хэллэг.
-세요 : (хүндэтгэлийн энгийн үг хэллэг) тайлбар, асуулт, тушаал, хүсэлтийн утгыг илэрхийлдэг төгсгөх нөхцөл. <тушаал>

(90) 낮다 [natda]

намхан, жижиг, пагдгар

доороос дээр хүртэлх уртын хэмжээ богино байх.

저는 굽이 <u>낮은</u> 구두를 즐겨 신어요.

jeoneun gubi najeun gudureul jeulgyeo sineoyo.

저+는 굽+이 낮+은 구두+를 <u>즐기+어</u> 신+어요.
즐겨

저 : би
는 : өгүүлбэрт ярианы сэдэв болж буйг илэрхийлдэг нөхцөл.
굽 : өсгий, гутлын өсгий
이 : ямар нэгэн төлөв, байдлын субьект, мөн үйл хөдлөлийн эзэн болохыг илэрхийлэх нөхцөл.
낮다 : намхан, жижиг, пагдгар
-은 : өмнөх үгийг тодотгол гишүүний үүрэгтэй болгож одоогийн нөхцөл байдлыг илэрхийлж буй нөхцөл.
구두 : шаахай, түрийгүй гутал
를 : үйл хөдлөл шууд нөлөөлж буй тусагдахууныг илэрхийлэх нөхцөл.
즐기다 : дурлах, дуртай байх
-어 : өмнө ирэх үг ард ирэх үгээс түрүүлж бий болсон буюу ардах үгийн талаарх арга барил болохыг илэрхийлдэг холбох нөхцөл.
신다 : өмсөх
-어요 : (хүндэтгэлийн энгийн үг хэллэг) ямар нэгэн зүйлийг хүүрнэх, асуух, тушаах, уриалах явдлыг илэрхийлдэг төгсгөх нөхцөл. <дүрслэл>

(91) 넓다 [neolda]

өргөн, уудам, том, цэлгэр, тэнүүн, арвин их

хавтгай буюу талбай том байх.

넓은 이마를 가리려고 앞머리를 내렸어요.

neolbeun imareul gariryeogo ammeorireul naeryeosseoyo.

넓+은 이마+를 가리+려고 앞머리+를 <u>내리+었+어요</u>.
내렸어요

넓다 : өргөн, уудам, том, цэлгэр, тэнүүн, арвин их

-은 : өмнөх үгийг тодотгол гишүүний үүрэгтэй болгож одоогийн нөхцөл байдлыг илэрхийлж буй нөхцөл.

이마 : дух

를 : үйл хөдлөл шууд нөлөөлж буй тусагдахууныг илэрхийлэх нөхцөл.

가리다 : халхлах, бүрхэх, таглах

-려고 : ямар нэгэн үйлдлийг хийх санаа буюу дур хүсэлтэй байгааг илэрхийлдэг холбох нөхцөл.

앞머리 : дух руу унжсан үс, урд талын үс

를 : үйл хөдлөл шууд нөлөөлж буй тусагдахууныг илэрхийлэх нөхцөл.

내리다 : буулгах, унжуулах

-었- : ямар нэгэн хэрэг явдал өнгөрсөн үед болж өнгөрсөн буюу тухайн үйлийн үр дүн өнөөг хүртэл үргэлжилж буй нөхцөл байдлыг илэрхийлдэг нөхцөл.

-어요 : (хүндэтгэлийн энгийн үг хэллэг) ямар нэгэн зүйлийг хүүрнэх, асуух, тушаах, уриалах явдлыг илэрхийлдэг төгсгөх нөхцөл. <дүрслэл>

(92) 높다 [nopda]

өндөр

доороос дээш хүртэлх хэмжээ нь урт байх.

서울에는 높은 빌딩이 많아요.

seoureneun nopeun bildingi manayo.

서울+에+는 높+은 빌딩+이 많+아요.

서울 : Сөүл, Сөүл хот

에 : өмнөх үг ямар нэгэн газар буюу байр болохыг илэрхийлж буй нөхцөл.

는 : өгүүлбэрт ярианы сэдэв болж буйг илэрхийлдэг нөхцөл.

높다 : өндөр

-은 : өмнөх үгийг тодотгол гишүүний үүрэгтэй болгож одоогийн нөхцөл байдлыг илэрхийлж буй нөхцөл.

빌딩 : өндөр барилга

이 : ямар нэгэн төлөв, байдлын субьект, мөн үйл хөдлөлийн эзэн болохыг илэрхийлэх нөхцөл.

많다 : олон, их, арвин

-아요 : (хүндэтгэлийн энгийн үг хэллэг) ямар нэгэн зүйлийг хүүрнэх, асуух, тушаах, уриалах явдлыг илэрхийлдэг төгсгөх нөхцөл. <дүрслэл>

(93) 다르다 [dareuda]

өөр, ондоо, адилгүй

хоорондоо ижил биш.

저는 언니와 성격이 많이 <u>달라요</u>.

jeoneun eonniwa seonggyeogi mani dallayo.

저+는 언니+와 성격+이 많이 <u>다르(달ㄹ)+아요</u>.

달라요

저 : би

는 : өгүүлбэрт ярианы сэдэв болж буйг илэрхийлдэг нөхцөл.

언니 : эгч

와 : харьцуулалт, тодорхой нэгж хэмжүүр болохыг илэрхийлж буй нөхцөл.

성격 : зан чанар

이 : ямар нэгэн төлөв, байдлын субьект, мөн үйл хөдлөлийн эзэн болохыг илэрхийлэх нөхцөл.

많이 : их, олон

다르다 : өөр, ондоо, адилгүй

-아요 : (хүндэтгэлийн энгийн үг хэллэг) ямар нэгэн зүйлийг хүүрнэх, асуух, тушаах, уриалах явдлыг илэрхийлдэг төгсгөх нөхцөл. <дүрслэл>

(94) 닮다 [damda]

дуурайх, ижилхэн

хоёроос дээш хүн буюу эд зүйл хоорондоо төстэй төрх, шинж чанартай байх.

저는 언니와 안 <u>닮았어요</u>.

jeoneun eonniwa an dalmasseoyo.

저+는 언니+와 안 닮+았+어요.

저 : би

는 : өгүүлбэрт ярианы сэдэв болж буйг илэрхийлдэг нөхцөл.

언니 : эгч

와 : харьцуулалт, тодорхой нэгж хэмжүүр болохыг илэрхийлж буй нөхцөл.

안 : эс, үл, үгүй, -гүй

닮다 : дуурайх, ижилхэн

-аҳ- : ямар нэгэн үйл явдал өнгөрсөн цагт болж дууссан буюу тухайн үйл явдлын үр дүн өнөөг хүртэл үргэлжилж буй байдлыг илэрхийлдэг нөхцөл.

-ө ё : (хүндэтгэлийн энгийн үг хэллэг) ямар нэгэн зүйлийг хүүрнэх, асуух, тушаах, уриалах явдлыг илэрхийлдэг төгсгөх нөхцөл. <дүрслэл>

(95) 두껍다 [dukkeopda]

зузаан

хавтгай зүйлийн нэг тал болон түүнтэй пралел орших талын хоорондох зай хол байх.

고기를 <u>두껍게</u> 썰어서 잘 안 익어요.

gogireul dukkeopge sseoreoseo jal an igeoyo.

고기+를 두껍+게 썰+어서 잘 안 익+어요.

고기 : мах

를 : үйл хөдлөл шууд нөлөөлж буй тусагдахууныг илэрхийлэх нөхцөл.

두껍다 : зузаан

-게 : өмнөх агуулга ард нь зааж буй байдал, зорилго, үр дүн, арга барил, хэмжээ зэрэг боло хыг илэрхийлдэг холбох нөхцөл.

썰다 : огтлох, зүсэх, хөшиглөх, хуваах, хэрчих

-어서 : учир шалтгаан буюу үндэслэлийг илэрхийлдэг холбох нөхцөл.

잘 : сайн

안 : эс, үл, үгүй, -гүй

익다 : болох

-어요 : (хүндэтгэлийн энгийн үг хэллэг) ямар нэгэн зүйлийг хүүрнэх, асуух, тушаах, уриалах явдлыг илэрхийлдэг төгсгөх нөхцөл. <дүрслэл>

(96) 똑같다 [ttokgatda]

яг адил, яг ижил, ив ижил

хэлбэр дүрс, шинж чанар, хэм хэмжээ зэрэг ялгарах зүйлгүй яг адил байх.

저와 <u>똑같은</u> 이름을 가진 사람들이 많아요.

jeowa ttokgateun ireumeul gajin saramdeuri manayo.

저+와 똑같+은 이름+을 <u>가지+ㄴ</u> 사람+들+이 많+아요.
가진

저 : би

와 : харьцуулалт, тодорхой нэгж хэмжүүр болохыг илэрхийлж буй нөхцөл.

똑같다 : яг адил, яг ижил, ив ижил

-은 : өмнөх үгийг тодотгол гишүүний үүрэгтэй болгож одоогийн нөхцөл байдлыг илэрхийлж буй нөхцөл.

이름 : нэр

을 : үйл хөдлөл шууд нөлөөлж буй тусагдахууныг илэрхийлэх нөхцөл.

가지다 : эрхтэй болох

-ㄴ : өмнөх үгийг тодотгол гишүүний үүрэгтэй болгож, хэрэг явдал буюу үйлдэл нь бүрэн төгс болсон, тухайн байдал үргэлжилж буйг илэрхийлдэг нөхцөл.

사람 : хүн

들 : олон тооны утга нэмдэг дагавар.

이 : ямар нэгэн төлөв, байдлын субьект, мөн үйл хөдлөлийн эзэн болохыг илэрхийлэх нөхцөл.

많다 : олон, их, арвин

-아요 : (хүндэтгэлийн энгийн үг хэллэг) ямар нэгэн зүйлийг хүүрнэх, асуух, тушаах, уриалах явдлыг илэрхийлдэг төгсгөх нөхцөл. <дүрслэл>

(97) 멋있다 [meoditda]

ганган, хээнцэр, догь, чамин, гоё, уран, гоёмсог

маш гоё сайхан, дэгжин гоёмсог.

새로 산 옷인데 <u>멋있어요?</u>

saero san osinde meosisseoyo?

새로 <u>사+ㄴ</u> <u>옷+이+ㄴ데</u> 멋있+어요?
　　　　산　　　옷인데

새로 : шинээр

사다 : худалдаж авах

-ㄴ : өмнөх үгийг тодотгол гишүүний үүрэгтэй болгож, хэрэг явдал буюу үйлдэл нь бүрэн төгс болсон, тухайн байдал үргэлжилж буйг илэрхийлдэг нөхцөл.

옷 : хувцас

이다 : эзэн биеийн зааж буй обьектын шинж чанар, төрөл зүйлийг тодорхойлох утгыг илэрхийлэх өгүүлэхүүний тийн ялгалын нөхцөл.

-ㄴ데 : дараагийн агуулгаар үргэлжлүүлэн ярихын тулд тухайн зүйлтэй холбоотой нөхцөл байдлыг урьдчилан хэлж буйг илэрхийлдэг холбох нөхцөл.

멋있다 : ганган, хээнцэр, догь, чамин, гоё, уран, гоёмсог

-어요 : (хүндэтгэлийн энгийн үг хэллэг) ямар нэгэн зүйлийг хүүрнэх, асуух, тушаах, уриалах явдлыг илэрхийлдэг төгсгөх нөхцөл. <асуулт>

(98) 비슷하다 [biseutada]

адил төстэй байх

хоёроос дээш зүйл өөр хоорондоо хэмжээ, хэлбэр, байдал, шинж чанарын хувьд адил биш боловч ихэнх хэсэг нь төстэй байх.

학교 건물이 모두 <u>비슷해요</u>.

hakgyo geonmuri modu biseutaeyo.

학교 건물+이 모두 <u>비슷하+여요</u>.
비슷해요

학교 : сургууль
건물 : байшин, барилга
이 : ямар нэгэн төлөв, байдлын субьект, мөн үйл хөдлөлийн эзэн болохыг илэрхийлэх нөхцөл.
모두 : бүгд, бүгдээрээ, цөмөөрөө, хамт
비슷하다 : адил төстэй байх
-여요 : (хүндэтгэлийн энгийн үг хэллэг) ямар нэгэн зүйлийг хүүрнэх, асуух, тушаах, уриалах явдлыг илэрхийлдэг төгсгөх нөхцөл. <дүрслэл>

(99) 얇다 [yalda]

НИМГЭН

зузаан биш.

<u>얇은</u> 옷을 입고 나와서 좀 추워요.

yalbeun oseul ipgo nawaseo jom chuwoyo.

얇+은 옷+을 입+고 <u>나오+아서</u> 좀 <u>춥(추우)+어요</u>.
나와서   추워요

얇다 : нимгэн
-은 : өмнөх үгийг тодотгол гишүүний үүрэгтэй болгож одоогийн нөхцөл байдлыг илэрхийлж буй нөхцөл.
옷 : хувцас
을 : үйл хөдлөл шууд нөлөөлж буй тусагдахууныг илэрхийлэх нөхцөл.
입다 : өмсөх

-고 : өмнөх үгийн илэрхийлж буй үйлдэл буюу тухайн үр дүн нь арын үйлдэл бий болох хугацаанд тэр хэвээрээ үргэлжлэх явдлыг илэрхийлдэг холбох нөхцөл.

나오다 : гарах, гарч ирэх

-아서 : учир шалтгаан буюу үндэслэлийг илэрхийлдэг холбох нөхцөл.

좀 : жаахан, хэсэг, арай, бага зэрэг

춥다 : даарах, хүйтэн

-어요 : (хүндэтгэлийн энгийн үг хэллэг) ямар нэгэн зүйлийг хүүрнэх, асуух, тушаах, уриалах явдлыг илэрхийлдэг төгсгөх нөхцөл. <дүрслэл>

(100) 작다 [jakda]

бага, жижиг, бяцхан, өчүүхэн

урт, өргөн, овор хэмжээ зэрэг нь өөр зүйл ба энгийнээс бага байх.

언니는 키가 저보다 작아요.

eonnineun kiga jeoboda jagayo.

언니+는 키+가 저+보다 작+아요.

언니 : эгч

는 : өгүүлбэрт ярианы сэдэв болж буйг илэрхийлдэг нөхцөл.

키 : өндөр

가 : ямар нэгэн төлөв, байдлын субьект, мөн үйл хөдлөлийн эзэн болохыг илэрхийлэх нөхцөл.

저 : би

보다 : хоорондоо ялгаатай зүйлийг харьцуулах үед харьцуулж буй зүйлийг илэрхийлдэг нэрийн нөхцөл.

작다 : бага, жижиг, бяцхан, өчүүхэн

-아요 : (хүндэтгэлийн энгийн үг хэллэг) ямар нэгэн зүйлийг хүүрнэх, асуух, тушаах, уриалах явдлыг илэрхийлдэг төгсгөх нөхцөл. <дүрслэл>

(101) 좁다 [jopda]

нарийн, давчуу, бага, зай муутай, бариу

өнгөн хэсэг болон шал зэргийн талбайн хэмжээ бага байх.

여기는 주차장이 좁아요.

yeogineun juchajangi jobayo.

여기+는 주차장+이 좁+아요.

여기 : энэ, энд

는 : өгүүлбэрт ярианы сэдэв болж буйг илэрхийлдэг нөхцөл.

주차장 : машины зогсоол

이 : ямар нэгэн төлөв, байдлын субьект, мөн үйл хөдлөлийн эзэн болохыг илэрхийлэх нөхцөл.

좁다 : нарийн, давчуу, бага, зай муутай, бариу

-아요 : (хүндэтгэлийн энгийн үг хэллэг) ямар нэгэн зүйлийг хүүрнэх, асуух, тушаах, уриалах явдлыг илэрхийлдэг төгсгөх нөхцөл. <дүрслэл>

(102) 짧다 [jjalda]

богино

биетийн нэг талаас нөгөө тал хүртэл хоорондын зай ойрхон байх.

긴 머리를 짧게 잘랐어요.

gin meorireul jjalge jallasseoyo.

길(기)+ㄴ 머리+를 짧+게 자르(잘ㄹ)+았+어요.

　긴　　　　　　　　　　　잘랐어요

길다 : урт

-ㄴ : өмнөх үгийг тодотгол гишүүний үүрэгтэй болгож, одоогийн байдлыг илэрхийлдэг нөхцөл.

머리 : үс, толгойн үс

를 : үйл хөдлөл шууд нөлөөлж буй тусагдахууныг илэрхийлэх нөхцөл.

짧다 : богино

-게 : өмнөх агуулга ард нь зааж буй байдал, зорилго, үр дүн, арга барил, хэмжээ зэрэг болохыг илэрхийлдэг холбох нөхцөл.

자르다 : таслах, хэрчих, тайрах, хайчлах, цавчих

-았- : ямар нэгэн үйл явдал өнгөрсөн цагт болж дууссан буюу тухайн үйл явдлын үр дүн өнөөг хүртэл үргэлжилж буй байдлыг илэрхийлдэг нөхцөл.

-어요 : (хүндэтгэлийн энгийн үг хэллэг) ямар нэгэн зүйлийг хүүрнэх, асуух, тушаах, уриалах явдлыг илэрхийлдэг төгсгөх нөхцөл. <дүрслэл>

(103) 크다 [keuda]

том, их, өндөр

урт, өргөн, өндөр, багтаамж зэрэг хэвийн хэмжээг хэтрэх.

피자가 생각보다 훨씬 <u>커요</u>.

pijaga saenggakboda hwolssin keoyo.

피자+가 생각+보다 훨씬 <u>크(ㅋ)+어요</u>.

커요

피자 : пицца

가 : ямар нэгэн төлөв, байдлын субьект, мөн үйл хөдлөлийн эзэн болохыг илэрхийлэхнөхцөл.

생각 : төсөөлөл

보다 : хоорондоо ялгаатай зүйлийг харьцуулах үед харьцуулж буй зүйлийг илэрхийлдэг нэрийн нөхцөл.

훨씬 : маш их, хамаагүй, илүү

크다 : том, их, өндөр

-어요 : (хүндэтгэлийн энгийн үг хэллэг) ямар нэгэн зүйлийг хүүрнэх, асуух, тушаах, уриалах явдлыг илэрхийлдэг төгсгөх нөхцөл. <дүрслэл>

(104) 화려하다 [hwaryeohada]

гоёмсог, сайхан, гял цал

гоёмсог үзэсгэлэнтэй буюу гэрэлтэн гялалзаж харахад сайхан байх.

방 안을 화려하게 꾸몄어요.

bang aneul hwaryeohage kkumyeosseoyo.

방 안+을 화려하+게 <u>꾸미+었+어요</u>.

꾸몄어요

방 : өрөө

안 : дотор

을 : үйл хөдлөл шууд нөлөөлж буй тусагдахууныг илэрхийлэх нөхцөл.

화려하다 : гоёмсог, сайхан, гял цал

-게 : өмнөх агуулга ард нь зааж буй байдал, зорилго, үр дүн, арга барил, хэмжээ зэрэг боло хыг илэрхийлдэг холбох нөхцөл.

꾸미다 : чимэх, гоёх

-었- : ямар нэгэн хэрэг явдал өнгөрсөн үед болж өнгөрсөн буюу тухайн үйлийн үр дүн өнөө г хүртэл үргэлжилж буй нөхцөл байдлыг илэрхийлдэг нөхцөл.

-어요 : (хүндэтгэлийн энгийн үг хэллэг) ямар нэгэн зүйлийг хүүрнэх, асуух, тушаах, уриалах явдлыг илэрхийлдэг төгсгөх нөхцөл. <дүрслэл>

(105) 가볍다 [gabyeopda]

ХӨНГӨН

жин нь бага байх.

이 노트북은 아주 <u>가벼워요</u>.

i noteubugeun aju gabyeowoyo.

이 노트북+은 아주 <u>가볍(가벼우)+어요</u>.
가벼워요

이 : энэ

노트북 : зөөврийн компьютер

은 : өгүүлбэрт ямар зүйл ярианы сэдэв болж буйг илэрхийлдэг нөхцөл.

아주 : маш, их, тун

가볍다 : хөнгөн

-어요 : (хүндэтгэлийн энгийн үг хэллэг) ямар нэгэн зүйлийг хүүрнэх, асуух, тушаах, уриалах явдлыг илэрхийлдэг төгсгөх нөхцөл. <дүрслэл>

(106) 강하다 [ganghada]

ХҮЧТЭЙ

хүч ихтэй.

오늘은 바람이 <u>강하게</u> 불고 있어요.

oneureun barami ganghage bulgo isseoyo.

오늘+은 바람+이 강하+게 불+[고 있]+어요.

오늘 : өнөөдөр

은 : өгүүлбэрт ямар зүйл ярианы сэдэв болж буйг илэрхийлдэг нөхцөл.

바람 : салхи

이 : ямар нэгэн төлөв, байдлын субьект, мөн үйл хөдлөлийн эзэн болохыг илэрхийлэх нөхцөл.

강하다 : хүчтэй

-게 : өмнөх агуулга ард нь зааж буй байдал, зорилго, үр дүн, арга барил, хэмжээ зэрэг боло хыг илэрхийлдэг холбох нөхцөл.

불다 : үлээх, шуурах

-고 있다 : өмнөх үгийн илэрхийлж буй үйлдэл үргэлжилж буйг илэрхийлдэг үг хэллэг.

-어요 : (хүндэтгэлийн энгийн үг хэллэг) ямар нэгэн зүйлийг хүүрнэх, асуух, тушаах, уриалах явдлыг илэрхийлдэг төгсгөх нөхцөл. <дүрслэл>

(107) 무겁다 [mugeopda]

ХҮНД, НҮСЭР

хүндийн хэмжээ их байх.

저는 보기보다 <u>무거워요</u>.

jeoneun bogiboda mugeowoyo.

저+는 보+기+보다 <u>무겁(무거우)+어요</u>.
　　　　　　　　무거워요

저 : би

는 : өгүүлбэрт ярианы сэдэв болж буйг илэрхийлдэг нөхцөл.

보다 : үзэх, харах

-기 : өмнөх үгийг нэр үгийн үүрэгтэй болгодог нөхцөл.

보다 : хоорондоо ялгаатай зүйлийг харьцуулах үед харьцуулж буй зүйлийг илэрхийлдэг нэрийн нөхцөл.

무겁다 : хүнд, нүсэр

-어요 : (хүндэтгэлийн энгийн үг хэллэг) ямар нэгэн зүйлийг хүүрнэх, асуух, тушаах, уриалах явдлыг илэрхийлдэг төгсгөх нөхцөл. <дүрслэл>

(108) 부드럽다 [budeureopda]

зөөлөн, булбарай, энхрий

арьсанд хүрэх мэдрэмж хатуу, ширүүн биш гөлгөр байх.

이 운동화는 가볍고 안쪽이 <u>부드러워요</u>.

i undonghwaneun gabyeopgo anjjogi budeureowoyo.

이 운동화+는 가볍+고 안쪽+이 <u>부드럽(부드러우)+어요</u>.
　　　　　　　　　　　부드러워요

이 : энэ

운동화 : биеийн тамирын гутал, пүүз

는 : өгүүлбэрт ярианы сэдэв болж буйг илэрхийлдэг нөхцөл.

가볍다 : хөнгөн

-고 : хоёроос дээш тооны хэрэг явдлыг зэрэгцүүлэн холбоход хэрэглэдэг холбох нөхцөл.

안쪽 : дотор тал, дотор

이 : ямар нэгэн төлөв, байдлын субьект, мөн үйл хөдлөлийн эзэн болохыг илэрхийлэх нөхцөл.

부드럽다 : зөөлөн, булбарай, энхрий

-어요 : (хүндэтгэлийн энгийн үг хэллэг) ямар нэгэн зүйлийг хүүрнэх, асуух, тушаах, уриалах явдлыг илэрхийлдэг төгсгөх нөхцөл. <дүрслэл>

(109) 새롭다 [saeropda]

ШИНЭ, ШИНЭХЭН, ШИНЭЛЭГ, СҮҮЛИЙН ҮЕИЙН

өнөөг хүртэл байсан зүйлээс огт өөр байх, урьд өмнө нь байгаагүй.

요즘 <u>새로운</u> 취미가 생겼어요?

yojeum saeroun chwimiga saenggyeosseoyo?

요즘 <u>새롭(새로우)+ㄴ</u> 취미+가 <u>생기+었+어요</u>?
　　　　새로운　　　　　　　　　　생겼어요

요즘 : саяхан, сүүлийн үе, ойрмогхон

새롭다 : шинэ, шинэхэн, шинэлэг, сүүлийн үеийн

-ㄴ : өмнөх үгийг тодотгол гишүүний үүрэгтэй болгож, одоогийн байдлыг илэрхийлдэг нөхцөл.

취미 : сонирхол, хобби

가 : ямар нэгэн төлөв, байдлын субьект, мөн үйл хөдлөлийн эзэн болохыг илэрхийлэх нөхцөл.

생기다 : үүсэх, бий болох

-었- : ямар нэгэн хэрэг явдал өнгөрсөн үед болж өнгөрсөн буюу тухайн үйлийн үр дүн өнөөг хүртэл үргэлжилж буй нөхцөл байдлыг илэрхийлдэг нөхцөл.

-어요 : (хүндэтгэлийн энгийн үг хэллэг) ямар нэгэн зүйлийг хүүрнэх, асуух, тушаах, уриалах явдлыг илэрхийлдэг төгсгөх нөхцөл. <асуулт>

(110) 느리다 [neurida]

удаан, аажуу, алгуур

ямар үйл хөдлөл хийхэд зарцуулагдах хугацаа их байх.

저는 걸음이 <u>느려요</u>.

jeoneun georeumi neuryeoyo.

저+는 걸음+이 <u>느리+어요</u>.
　　　　　　　　느려요

저 : би

는 : өгүүлбэрт ярианы сэдэв болж буйг илэрхийлдэг нөхцөл.

걸음 : алхаа

이 : ямар нэгэн төлөв, байдлын субьект, мөн үйл хөдлөлийн эзэн болохыг илэрхийлэх нөхцөл.

느리다 : удаан, аажуу, алгуур

-어요 : (хүндэтгэлийн энгийн үг хэллэг) ямар нэгэн зүйлийг хүүрнэх, асуух, тушаах, уриалах явдлыг илэрхийлдэг төгсгөх нөхцөл. <дүрслэл>

(111) 빠르다 [ppareuda]

хурдан

ямар нэг үйл хөдлөлийг хийхэд зарцуулах хугацаа богино байх.

제 친구는 말이 너무 **빨라요**.

je chinguneun mari neomu ppallayo.

<u>저+의</u> 친구+는 말+이 너무 <u>빠르(빨르)+아요</u>.
　제　　　　　　　　　　**빨라요**

저 : би

의 : өмнөх үг хойдох үгтэй эзэмшил, харьяа, хэрэглэгдэхүүн, сэдвийн хамааралтай болохыг илэрхийлсэн нөхцөл.

친구 : найз, анд нөхөр

는 : өгүүлбэрт ярианы сэдэв болж буйг илэрхийлдэг нөхцөл.

말 : яриа, үг

이 : ямар нэгэн төлөв, байдлын субьект, мөн үйл хөдлөлийн эзэн болохыг илэрхийлэх нөхцөл.

너무 : дэндүү, хэтэрхий, хэт

빠르다 : хурдан

-아요 : (хүндэтгэлийн энгийн үг хэллэг) ямар нэгэн зүйлийг хүүрнэх, асуух, тушаах, уриалах явдлыг илэрхийлдэг төгсгөх нөхцөл. <дүрслэл>

(112) 뜨겁다 [tteugeopda]

халуун

ямар нэг зүйлийн хэм өндөр байх.

국물이 뜨거우니 조심하세요.
gungmuri tteugeouni josimhaseyo.

국물+이 뜨겁(뜨거우)+니 조심하+세요.
　　　　 뜨거우니

국물 : шөл

이 : ямар нэгэн төлөв, байдлын субьект, мөн үйл хөдлөлийн эзэн болохыг илэрхийлэх нөхцөл.

뜨겁다 : халуун

-니 : ард ирэх үгийн талаар өмнө ирэх үг нь учир шалтгаан буюу болзол болохыг илэрхийлдэг холбох нөхцөл.

조심하다 : болгоомжлох, анхаарах

-세요 : (хүндэтгэлийн энгийн үг хэллэг) тайлбар, асуулт, тушаал, хүсэлтийн утгыг илэрхийлдэг төгсгөх нөхцөл. ⟨тушаал⟩

(113) 차갑다 [chagapda]

хүйтэн

арьсанд хүрэх мэдрэмж нь хүйтэн байх.

이 물은 차갑지 않아요.
i mureun chagapji anayo.

이 물+은 차갑+[지 않]+아요.

이 : энэ

물 : ус

은 : өгүүлбэрт ямар зүйл ярианы сэдэв болж буйг илэрхийлдэг нөхцөл.

차갑다 : хүйтэн

-지 않다 : өмнөх үгийн илэрхийлж буй үйлдэл буюу байдлыг үгүйсгэх утгыг илэрхийлдэг үг хэллэг.

-아요 : (хүндэтгэлийн энгийн үг хэллэг) ямар нэгэн зүйлийг хүүрнэх, асуух, тушаах, уриалах явдлыг илэрхийлдэг төгсгөх нөхцөл. ⟨дүрслэл⟩

(114) 차다 [chada]

ХҮЙТЭН

дулааны хэмжээ багаас болоод дулаан мэдрэмж байхгүй.

저는 손이 찬 편이에요.

jeoneun soni chan pyeonieyo.

저+는 손+이 차+[ㄴ 편이]]+에요.
　　　　　　　　찬 편이에요

저 : би

는 : өгүүлбэрт ярианы сэдэв болж буйг илэрхийлдэг нөхцөл.

손 : гар

이 : ямар нэгэн төлөв, байдлын субьект, мөн үйл хөдлөлийн эзэн болохыг илэрхийлэх нөхцөл.

차다 : хүйтэн

-ㄴ 편이다 : ямар нэгэн зүйлийн тухай баттай хэлэхээс илүүтэйгээр ер нь аль нэг талд ойр буюу хамаарна гэсэн утгыг илэрхийлдэг үг хэллэг.

-에요 : (хүндэтгэлийн энгийн үг хэллэг) ямар нэгэн зүйлийг хүүрнэх, асуух явдлыг илэрхийлдэг төгсгөх нөхцөл. <дүрслэл>

(115) 밝다 [bakda]

гэрэлтэх, гэгээрэх, гэгээтэй, гэрэлтэй

ямар нэгэн биетийн ялгаруулах гэрэл гэгээлэг байх.

조명이 너무 밝아서 눈이 부셔요.

jomyeongi neomu balgaseo nuni busyeoyo.

조명+이 너무 밝+아서 눈+이 부시+어요.
　　　　　　　　　　　　　부셔요

조명 : гэрэл, гэрэлтүүлэг

이 : ямар нэгэн төлөв, байдлын субьект, мөн үйл хөдлөлийн эзэн болохыг илэрхийлэх нөхцөл.

너무 : дэндүү, хэтэрхий, хэт

밝다 : гэрэлтэх, гэгээрэх, гэгээтэй, гэрэлтэй

-아서 : учир шалтгаан буюу үндэслэлийг илэрхийлдэг холбох нөхцөл.

눈 : нүд

이 : ямар нэгэн төлөв, байдлын субьект, мөн үйл хөдлөлийн эзэн болохыг илэрхийлэх нөхцөл.

부시다 : гялбах, цацрах, эрээлжлэх

-어요 : (хүндэтгэлийн энгийн үг хэллэг) ямар нэгэн зүйлийг хүүрнэх, асуух, тушаах, уриалах явдлыг илэрхийлдэг төгсгөх нөхцөл. <дүрслэл>

(116) 어둡다 [eodupda]

харанхуй

гэрэлгүй, гэрэл бүдэг тул гэгээтэй бус.

해가 져서 밖이 어두워요.

haega jeoseo bakki eoduwoyo.

해+가 지+어서 밖+이 어둡(어두우)+어요.
　　　　져서　　　　　　어두워요

해 : нар

가 : ямар нэгэн төлөв, байдлын субьект, мөн үйл хөдлөлийн эзэн болохыг илэрхийлэх нөхцөл.

지다 : шингэх, жаргах

-어서 : учир шалтгаан буюу үндэслэлийг илэрхийлдэг холбох нөхцөл.

밖 : гадаа, гадна

이 : ямар нэгэн төлөв, байдлын субьект, мөн үйл хөдлөлийн эзэн болохыг илэрхийлэх нөхцөл.

어둡다 : харанхуй

-어요 : (хүндэтгэлийн энгийн үг хэллэг) ямар нэгэн зүйлийг хүүрнэх, асуух, тушаах, уриалах явдлыг илэрхийлдэг төгсгөх нөхцөл. <дүрслэл>

(117) 까맣다 [kkamata]

хар, тас хар

огт гэрэл гэгээгүй шөнийн тэнгэр шиг гүн хар.

머리를 까맣게 염색했어요.

meorireul kkamake yeomsaekaesseoyo.

머리+를 까맣+게 <u>염색하+였+어요</u>.

염색했어요

머리 : үс, толгойн үс

를 : үйл хөдлөл шууд нөлөөлж буй тусгагдахууныг илэрхийлэх нөхцөл.

까맣다 : хар, тас хар

-게 : өмнөх агуулга ард нь зааж буй байдал, зорилго, үр дүн, арга барил, хэмжээ зэрэг болохыг илэрхийлдэг холбох нөхцөл.

염색하다 : будах, будганд оруулах

-였- : ямар нэгэн үйл явдал өнгөрсөн цагт төгссөн буюу тухайн үйл явдлын үр дүн өнөөг хүртэл үргэлжилж буй байдлыг илэрхийлдэг нөхцөл.

-어요 : (хүндэтгэлийн энгийн үг хэллэг) ямар нэгэн зүйлийг хүүрнэх, асуух, тушаах, уриалах явдлыг илэрхийлдэг төгсгөх нөхцөл. <дүрслэл>

(118) 검다 [geomda]

хар, бараан, хар бараан

оч гэрэлгүй шөнийн тэнгэр шиг гүн харанхуй өнгө.

햇볕에 살이 <u>검게</u> 탔어요.

haetbyeote sari geomge tasseoyo.

햇볕+에 살+이 검+게 <u>타+았+어요</u>.

탔어요

햇볕 : нарны илч

에 : өмнөх үг ямар нэгэн үйл хэргийн учир шалтгаан болохыг илэрхийлж буй нөхцөл.

살 : арьс

이 : ямар нэгэн төлөв, байдлын субьект, мөн үйл хөдлөлийн эзэн болохыг илэрхийлэх нөхцөл.

검다 : хар, бараан, хар бараан

-게 : өмнөх агуулга ард нь зааж буй байдал, зорилго, үр дүн, арга барил, хэмжээ зэрэг болохыг илэрхийлдэг холбох нөхцөл.

타다 : борлох, харлах, түлэгдэх

-았- : ямар нэгэн үйл явдал өнгөрсөн цагт болж дуссан буюу тухайн үйл явдлын үр дүн өнөөг хүртэл үргэлжилж буй байдлыг илэрхийлдэг нөхцөл.

-어요 : (хүндэтгэлийн энгийн үг хэллэг) ямар нэгэн зүйлийг хүүрнэх, асуух, тушаах, уриалах явдлыг илэрхийлдэг төгсгөх нөхцөл. <дүрслэл>

(119) 노랗다 [norata]

шар, шар өнгө, лимоны өнгө, бананы өнгө

өнгө нь гадил болон лимон жимсний өнгөтэй адил.

저 사람은 머리 색깔이 <u>노래요</u>.

jeo sarameun meori saekkkari noraeyo.

저 사람+은 머리 색깔+이 <u>노랗+아요</u>.
노래요

저 : тэр
사람 : хүн
은 : өгүүлбэрт ямар зүйл ярианы сэдэв болж буйг илэрхийлдэг нөхцөл.
머리 : үс, толгойн үс
색깔 : өнгө, гэрэл, гэгээ
이 : ямар нэгэн төлөв, байдлын субьект, мөн үйл хөдлөлийн эзэн болохыг илэрхийлэх нөхцөл.
노랗다 : шар, шар өнгө, лимоны өнгө, бананы өнгө
-아요 : (хүндэтгэлийн энгийн үг хэллэг) ямар нэгэн зүйлийг хүүрнэх, асуух, тушаах, уриалах явдлыг илэрхийлдэг төгсгөх нөхцөл. <дүрслэл>

(120) 붉다 [bukda]

улаан

өнгө нь цус болон боловсорсон чинжүүтэй адил байх.

붉은 태양이 떠오르고 있어요.

bulgeun taeyangi tteooreugo isseoyo.

붉+은 태양+이 떠오르+[고 있]+어요.

붉다 : улаан
-은 : өмнөх үгийг тодотгол гишүүний үүрэгтэй болгож одоогийн нөхцөл байдлыг илэрхийлж буй нөхцөл.
태양 : нар
이 : ямар нэгэн төлөв, байдлын субьект, мөн үйл хөдлөлийн эзэн болохыг илэрхийлэх нөхцөл.
떠오르다 : хөвөн, хөөрөх

-고 있다 : өмнөх үгийн илэрхийлж буй үйлдэл үргэлжилж буйг илэрхийлдэг үг хэллэг.

-어요 : (хүндэтгэлийн энгийн үг хэллэг) ямар нэгэн зүйлийг хүүрнэх, асуух, тушаах, уриалах явдлыг илэрхийлдэг төгсгөх нөхцөл. <дүрслэл>

(121) 빨갛다 [ppalgata]

улаан, час улаан

цус болон боловсорсон чинжүү шиг тод, гүн улаан.

코가 왜 이렇게 <u>빨개요</u>?

koga wae ireoke ppalgaeyo?

코+가 왜 이렇+게 빨갛+아요?

빨개요

코 : хамар

가 : ямар нэгэн төлөв, байдлын субьект, мөн үйл хөдлөлийн эзэн болохыг илэрхийлэх нөхцөл.

왜 : яагаад, ямар учраас

이렇다 : ийм байх, ийм, ингэх

-게 : өмнөх агуулга ард нь зааж буй байдал, зорилго, үр дүн, арга барил, хэмжээ зэрэг боло хыг илэрхийлдэг холбох нөхцөл.

빨갛다 : улаан, час улаан

-아요 : (хүндэтгэлийн энгийн үг хэллэг) ямар нэгэн зүйлийг хүүрнэх, асуух, тушаах, уриалах явдлыг илэрхийлдэг төгсгөх нөхцөл. <асуулт>

(122) 파랗다 [parata]

хөх, цэнхэр

тунгалаг намрын тэнгэр буюу гүн далайтай адил өнгөлөг тодоор хөхрөх.

왜 이마에 멍이 <u>파랗게</u> 들었어요?

wae imae meongi parake deureosseoyo?

왜 이마+에 멍+이 파랗+게 들+었+어요?

왜 : яагаад, ямар учраас

이마 : дух

에 : өмнөх үг ямар нэгэн газар буюу байр болохыг илэрхийлж буй нөхцөл.

명 : хөхрөлт, хөх толбо, бяцралт, цус хуралт

이 : ямар нэгэн төлөв, байдлын субьект, мөн үйл хөдлөлийн эзэн болохыг илэрхийлэх нөхцөл.

파랗다 : хөх, цэнхэр

-게 : өмнөх агуулга ард нь зааж буй байдал, зорилго, үр дүн, арга барил, хэмжээ зэрэг болохыг илэрхийлдэг холбох нөхцөл.

들다 : хүрэх, тусах

-었- : ямар нэгэн хэрэг явдал өнгөрсөн үед болж өнгөрсөн буюу тухайн үйлийн үр дүн өнөөг хүртэл үргэлжилж буй нөхцөл байдлыг илэрхийлдэг нөхцөл.

-어요 : (хүндэтгэлийн энгийн үг хэллэг) ямар нэгэн зүйлийг хүүрнэх, асуух, тушаах, уриалах явдлыг илэрхийлдэг төгсгөх нөхцөл. ＜асуулт＞

(123) 푸르다 [pureuda]

тунгалаг, цэнхэр, хөх

намрын цэлгэр тэнгэр буюу гүн далай, өвс ногооны өнгөтэй адил тунгалаг, тод байх.

바다가 넓고 푸르러요.

badaga neolgo pureureoyo.

바다+가 넓+고 푸르+어요(러요).
푸르러요

바다 : далай

가 : ямар нэгэн төлөв, байдлын субьект, мөн үйл хөдлөлийн эзэн болохыг илэрхийлэх нөхцөл.

넓다 : өргөн, уудам, том, цэлгэр, тэнүүн, арвин их

-고 : хоёроос дээш тооны хэрэг явдлыг зэрэгцүүлэн холбоход хэрэглэдэг холбох нөхцөл.

푸르다 : тунгалаг, цэнхэр, хөх

-어요 : (хүндэтгэлийн энгийн үг хэллэг) ямар нэгэн зүйлийг хүүрнэх, асуух, тушаах, уриалах явдлыг илэрхийлдэг төгсгөх нөхцөл. ＜дүрслэл＞

(124) 하얗다 [hayata]

цагаан

цас, сүүний өнгөтэй ижил гэгээлэг тод цагаан.

눈이 내려서 세상이 <u>하얗게</u> 변했어요.

nuni naeryeoseo sesangi hayake byeonhaesseoyo.

눈+이 <u>내리+어서</u> 세상+이 하얗+게 <u>변하+였+어요</u>.
　　　　내려서　　　　　　　　　　　변했어요

눈 : цас
이 : ямар нэгэн төлөв, байдлын субьект, мөн үйл хөдлөлийн эзэн болохыг илэрхийлэх нөхцөл.
내리다 : буух, орох
-어서 : учир шалтгаан буюу үндэслэлийг илэрхийлдэг холбох нөхцөл.
세상 : хорвоо дэлхий, хорвоо ертөнц
이 : ямар нэгэн төлөв, байдлын субьект, мөн үйл хөдлөлийн эзэн болохыг илэрхийлэх нөхцөл.
하얗다 : цагаан
-게 : өмнөх агуулга ард нь зааж буй байдал, зорилго, үр дүн, арга барил, хэмжээ зэрэг болохыг илэрхийлдэг холбох нөхцөл.
변하다 : өөрчлөгдөх, хувирах
-였- : ямар нэгэн үйл явдал өнгөрсөн цагт төгссөн буюу тухайн үйл явдлын үр дүн өнөөг хүртэл үргэлжилж буй байдлыг илэрхийлдэг нөхцөл.
-어요 : (хүндэтгэлийн энгийн үг хэллэг) ямар нэгэн зүйлийг хүүрнэх, асуух, тушаах, уриалах явдлыг илэрхийлдэг төгсгөх нөхцөл. <дүрслэл>

(125) 희다 [hida]

цагаан

цас, үүл шиг тод өнгө.

동생은 얼굴이 <u>희고</u> 머리카락이 <u>까매요</u>.

dongsaengeun eolguri huigo meorikaragi kkamaeyo.

동생+은 얼굴+이 희+고 머리카락+이 <u>까맣+아요</u>.
　　　　　　　　　　　　　　　　까매요

동생 : дүү
은 : өгүүлбэрт ямар зүйл ярианы сэдэв болж буйг илэрхийлдэг нөхцөл.
얼굴 : нүүр
이 : ямар нэгэн төлөв, байдлын субьект, мөн үйл хөдлөлийн эзэн болохыг илэрхийлэх нөхцөл.
희다 : цагаан

-고 : хоёроос дээш тооны хэрэг явдлыг зэрэгцүүлэн холбоход хэрэглэдэг холбох нөхцөл.

머리카락 : үс

이 : ямар нэгэн төлөв, байдлын субьект, мөн үйл хөдлөлийн эзэн болохыг илэрхийлэх нөхцөл.

까맣다 : хар, тас хар

-아요 : (хүндэтгэлийн энгийн үг хэллэг) ямар нэгэн зүйлийг хүүрнэх, асуух, тушаах, уриалах явдлыг илэрхийлдэг төгсгөх нөхцөл. ⟨дүрслэл⟩

(126) 많다 [manta]

олон, их, арвин

тоо хэмжээ, түвшин тодорхой нэг хэмжээг давах.

저는 호기심이 <u>많아요</u>.

jeoneun hogisimi manayo.

저+는 호기심+이 많+아요.

저 : би

는 : өгүүлбэрт ярианы сэдэв болж буйг илэрхийлдэг нөхцөл.

호기심 : сониуч сэтгэл, сониуч зан

이 : ямар нэгэн төлөв, байдлын субьект, мөн үйл хөдлөлийн эзэн болохыг илэрхийлэх нөхцөл.

많다 : олон, их, арвин

-아요 : (хүндэтгэлийн энгийн үг хэллэг) ямар нэгэн зүйлийг хүүрнэх, асуух, тушаах, уриалах явдлыг илэрхийлдэг төгсгөх нөхцөл. ⟨дүрслэл⟩

(127) 부족하다 [bujokada]

хомсдох, гачигдах, дутах

зохих хэмжээнд хүрэхгүй буюу хүрэлцээтэй биш байх

사업을 하기에 돈이 많이 <u>부족해요</u>.

saeobeul hagie doni mani bujokaeyo.

사업+을 하+기+에 돈+이 많이 <u>부족하+여요</u>.

부족해요

사업 : бизнес

을 : үйл хөдлөл шууд нөлөөлж буй тусагдахууныг илэрхийлэх нөхцөл.

하다 : аливаа үйл хөдлөл, хөдөлгөөн, ажиллагаа зэргийг гүйцэтгэх.

-기 : өмнөх үгийг нэр үгийн үүрэгтэй болгодог нөхцөл.

에 : өмнөх үг ямар нэгэн зүйлийн болзол, орчин, нөхцөл болохыг илэрхийлж буй нөхцөл.

돈 : мөнгө

이 : ямар нэгэн төлөв, байдлын субьект, мөн үйл хөдлөлийн эзэн болохыг илэрхийлэх нөхцөл.

많이 : их, олон

부족하다 : хомсдох, гачигдах, дутах

-여요 : (хүндэтгэлийн энгийн үг хэллэг) ямар нэгэн зүйлийг хүүрнэх, асуух, тушаах, уриалах явдлыг илэрхийлдэг төгсгөх нөхцөл. <дүрслэл>

(128) 적다 [jeokda]

цөөн, бага

тоо, хэмжээ, зэрэг тодорхой түвшинд хүрч чадахгүй байх.

배고픈데 음식 양이 너무 적어요.

baegopeunde eumsik yangi neomu jeogeoyo.

배고프+ㄴ데 음식 양+이 너무 적+어요.

배고픈데

배고프다 : гэдэс өлсөх

-ㄴ데 : дараагийн агуулгаар үргэлжлүүлэн ярихын тулд тухайн зүйлтэй холбоотой нөхцөл байдлыг урьдчилан хэлж буйг илэрхийлдэг холбох нөхцөл.

음식 : идэх юм, хоол, идээ

양 : хэмжээ

이 : ямар нэгэн төлөв, байдлын субьект, мөн үйл хөдлөлийн эзэн болохыг илэрхийлэх нөхцөл.

너무 : дэндүү, хэтэрхий, хэт

적다 : цөөн, бага

-어요 : (хүндэтгэлийн энгийн үг хэллэг) ямар нэгэн зүйлийг хүүрнэх, асуух, тушаах, уриалах явдлыг илэрхийлдэг төгсгөх нөхцөл. <дүрслэл>

(129) 낫다 [natda]

илүү, дээр

ямар нэг зүйл өөр аль нэгнээс давуу сайн байх.

몸이 아플 때에는 쉬는 것이 제일 **나아요**.

momi apeul ttaeeneun swineun geosi jeil naayo.

몸+이 아프+[ㄹ 때]+에+는 쉬+[는 것]+이 제일 낫(나)+아요.
　　　　　아플 때에는　　　　　　　　　　　　나아요

몸 : бие
이 : ямар нэгэн төлөв, байдлын субьект, мөн үйл хөдлөлийн эзэн болохыг илэрхийлэх нөхцөл.
아프다 : өвдөх
-ㄹ 때 : ямар нэгэн үйл хөдлөл буюу нөхцөл байдал үргэлжилсээр, тухайн үйл хэрэг болсон тохиолдлыг илэрхийлнэ.
에 : өмнөх үг цаг хугацаа болохыг илэрхийлж буй нөхцөл.
는 : өгүүлбэрт ярианы сэдэв болж буйг илэрхийлдэг нөхцөл.
쉬다 : амрах
-는 것 : өгүүлбэрт нэр үгийн үүргээр орж өгүүлэгдэхүүн буюу тусагдахуун гишүүний үүрэг гүйцэтгэх буюу '이다'-н өмнө ирэх боломжтой болгодог үг хэллэг.
이 : ямар нэгэн төлөв, байдлын субьект, мөн үйл хөдлөлийн эзэн болохыг илэрхийлэх нөхцөл.
제일 : хамгийн, тэргүүн, нэгдүгээр
낫다 : илүү, дээр
-아요 : (хүндэтгэлийн энгийн үг хэллэг) ямар нэгэн зүйлийг хүүрнэх, асуух, тушаах, уриалах явдлыг илэрхийлдэг төгсгөх нөхцөл. <дүрслэл>

(130) 분명하다 [bunmyeonghada]

тод

дүр төрх, дуу чимээ тод байх.

크고 분명한 목소리로 말해 주세요.

keugo bunmyeonghan moksoriro malhae juseyo.

크+고 분명하+ㄴ 목소리+로 말하+[여 주]+세요.
　　　분명한　　　　　　　말해 주세요

크다 : чанга, тод
-고 : хоёроос дээш тооны хэрэг явдлыг зэрэгцүүлэн холбоход хэрэглэдэг холбох нөхцөл.
분명하다 : тод

-ㄴ : өмнөх үгийг тодотгол гишүүний үүрэгтэй болгож, одоогийн байдлыг илэрхийлдэг нөхцөл.

목소리 : дуу хоолой

로 : ямар нэгэн үйл хэргийн арга барилыг илэрхийлж буй нөхцөл.

말하다 : ярих, өгүүлэх, хэлэх, өчих

-여 주다 : бусдад зориулж өмнөх үгийн илэрхийлж буй үйлдлийг хийх явдлыг илэрхийлдэг үг хэллэг.

-세요 : (хүндэтгэлийн энгийн үг хэллэг) тайлбар, асуулт, тушаал, хүсэлтийн утгыг илэрхийлдэг төгсгөх нөхцөл. <хүсэлт>

(131) 심하다 [simhada]

дэндүү, хэтэрхий

хэмжээ хэтрэх.

감기에 <u>심하게</u> 걸렸어요.

gamgie simhage geollyeosseoyo.

감기+에 심하+게 <u>걸리+었+어요</u>.
<u>걸렸어요</u>

감기 : ханиад

에 : өмнөх үг ямар нэгэн үйлдэл буюу сэтгэл хөдлөлийн тусагдахуун болохыг илэрхийлж буй үг.

심하다 : дэндүү, хэтэрхий

-게 : өмнөх агуулга ард нь зааж буй байдал, зорилго, үр дүн, арга барил, хэмжээ зэрэг болохыг илэрхийлдэг холбох нөхцөл.

걸리다 : тусах

-었- : ямар нэгэн хэрэг явдал өнгөрсөн үед болж өнгөрсөн буюу тухайн үйлийн үр дүн өнөөг хүртэл үргэлжилж буй нөхцөл байдлыг илэрхийлдэг нөхцөл.

-어요 : (хүндэтгэлийн энгийн үг хэллэг) ямар нэгэн зүйлийг хүүрнэх, асуух, тушаах, уриалах явдлыг илэрхийлдэг төгсгөх нөхцөл. <дүрслэл>

(132) 알맞다 [almatda]

таарах, тохирох

тогтсон жишиг, нөхцөл, хэмжээнд таарч илүү гарах буюу дутахгүй байх.

물 온도가 목욕하기에 딱 <u>알맞아요</u>.

mul ondoga mogyokagie ttak almajayo.

물 온도+가 목욕하+기+에 딱 알맞+아요.

물 : ус

온도 : дулааны хэм

가 : ямар нэгэн төлөв, байдлын субьект, мөн үйл хөдлөлийн эзэн болохыг илэрхийлэх нөхцөл.

목욕하다 : усанд орох, биеэ угаах

-기 : өмнөх үгийг нэр үгийн үүрэгтэй болгодог нөхцөл.

에 : өмнөх үг ямар нэгэн зүйлийн болзол, орчин, нөхцөл болохыг илэрхийлж буй нөхцөл.

딱 : яг

알맞다 : таарах, тохирох

-아요 : (хүндэтгэлийн энгийн үг хэллэг) ямар нэгэн зүйлийг хүүрнэх, асуух, тушаах, уриалах явдлыг илэрхийлдэг төгсгөх нөхцөл. <дүрслэл>

(133) 적당하다 [jeokdanghada]

тохиромжтой

түвшин, нөхцөл, хэр хэмжээ зэрэгт таарах.

하루 수면 시간은 일곱 시간 정도가 <u>적당해요</u>.

haru sumyeon siganeun ilgop sigan jeongdoga jeokdanghaeyo.

하루 수면 시간+은 일곱 시간 정도+가 <u>적당하+여요</u>.

적당해요

하루 : хоног

수면 : унтах, нойрсох, нойр, унтлага

시간 : хугацаа, цаг

은 : өгүүлбэрт ямар зүйл ярианы сэдэв болж буйг илэрхийлдэг нөхцөл.

일곱 : долоон

시간 : цаг

정도 : орчим, зэрэг

가 : ямар нэгэн төлөв, байдлын субьект, мөн үйл хөдлөлийн эзэн болохыг илэрхийлэх нөхцөл.

적당하다 : тохиромжтой

-여요 : (хүндэтгэлийн энгийн үг хэллэг) ямар нэгэн зүйлийг хүүрнэх, асуух, тушаах, уриалах явдлыг илэрхийлдэг төгсгөх нөхцөл. <дүрслэл>

(134) 정확하다 [jeonghwakada]

баттай, зөв

зөв зүйтэй, баттай.

정확한 한국어 발음을 하고 싶어요.

jeonghwakan hangugeo bareumeul hago sipeoyo.

정확하+ㄴ 한국어 발음+을 하+[고 싶]+어요.
　정확한

정확하다 : баттай, зөв
-ㄴ : өмнөх үгийг тодотгол гишүүний үүрэгтэй болгож, одоогийн байдлыг илэрхийлдэг нөхцөл.
한국어 : солонгос хэл
발음 : дуудлага, аялга, хэлэхүй
을 : үйл хөдлөл шууд нөлөөлж буй тусагдахууныг илэрхийлэх нөхцөл.
하다 : аливаа үйл хөдлөл, хөдөлгөөн, ажиллагаа зэргийг гүйцэтгэх.
-고 싶다 : өмнөх үгийн илэрхийлж буй үйлдлийг хийхийг хүсэх явдлыг илэрхийлдэг үг хэллэг.
-여요 : (хүндэтгэлийн энгийн үг хэллэг) ямар нэгэн зүйлийг хүүрнэх, асуух, тушаах, уриалах явдлыг илэрхийлдэг төгсгөх нөхцөл. <дүрслэл>

(135) 중요하다 [jungyohada]

чухал, эрхэм

маш эрхэм бөгөөд заавал хэрэгтэй.

살을 뺄 때는 운동이 중요해요.

sareul ppael ttaeneun undongi jungyohaeyo.

살+을 빼+[ㄹ 때]+는 운동+이 중요하+여요.
　　　뺄 때는　　　　　중요해요

살 : мах, өөх

을 : үйл хөдлөл шууд нөлөөлж буй тусагдахууныг илэрхийлэх нөхцөл.

빼다 : хасах, багасгах

-ㄹ 때 : ямар нэгэн үйл хөдлөл буюу нөхцөл байдал үргэлжилсээр, тухайн үйл хэрэг болсон тохиолдлыг илэрхийлнэ.

는 : өгүүлбэрт ярианы сэдэв болж буйг илэрхийлдэг нөхцөл.

운동 : биеийн тамирын дасгал

이 : ямар нэгэн төлөв, байдлын субьект, мөн үйл хөдлөлийн эзэн болохыг илэрхийлэх нөхцөл.

중요하다 : чухал, эрхэм

-여요 : (хүндэтгэлийн энгийн үг хэллэг) ямар нэгэн зүйлийг хүүрнэх, асуух, тушаах, уриалах явдлыг илэрхийлдэг төгсгөх нөхцөл. ＜дүрслэл＞

(136) 진하다 [jinhada]

өтгөн

шингэн зүйл усархаг биш өтгөн байх.

커피가 너무 <u>진해요</u>.

keopiga neomu jinhaeyo.

커피+가 너무 <u>진하+여요</u>.
　　　　　　　진해요

커피 : кофе

가 : ямар нэгэн төлөв, байдлын субьект, мөн үйл хөдлөлийн эзэн болохыг илэрхийлэх нөхцөл.

너무 : дэндүү, хэтэрхий, хэт

진하다 : өтгөн

-여요 : (хүндэтгэлийн энгийн үг хэллэг) ямар нэгэн зүйлийг хүүрнэх, асуух, тушаах, уриалах явдлыг илэрхийлдэг төгсгөх нөхцөл. ＜дүрслэл＞

(137) 충분하다 [chungbunhada]

хангалттай, хүрэлцээтэй, бүрэн

дутахгүй хангалттай байх.

저는 이 빵 하나면 <u>충분해요</u>.

jeoneun i ppang hanamyeon chungbunhaeyo.

저+는 이 빵 <u>하나+이+면</u> <u>충분하+여요</u>.
  하나면   충분해요

저 : би

는 : өгүүлбэрт ярианы сэдэв болж буйг илэрхийлдэг нөхцөл.

이 : энэ

빵 : талх

하나 : нэг

이다 : эзэн биеийн зааж буй обьектын шинж чанар, төрөл зүйлийг тодорхойлох утгыг илэрхийлэх өгүүлэхүүний тийн ялгалын нөхцөл.

-면 : ард ирэх агуулгын талаарх учир шалтгаан буюу болзол болохыг илэрхийлдэг холбох нөхцөл.

충분하다 : хангалттай, хүрэлцээтэй, бүрэн

-여요 : (хүндэтгэлийн энгийн үг хэллэг) ямар нэгэн зүйлийг хүүрнэх, асуух, тушаах, уриалах явдлыг илэрхийлдэг төгсгөх нөхцөл. <дүрслэл>

필수(зайлшгүй хэрэгтэй)

문법(хэлзүй)

1. 모음 : 사람이 목청을 울려 내는 소리로, 공기의 흐름이 방해를 받지 않고 나는 소리.

эгшиг үсэг

амьсгалын урсгал ямар ч саадгүй гарах авиа.

(1) ㅏ : 한글 자모의 열다섯째 글자. 이름은 '아'이고 중성으로 쓴다.

солонгос цагаан толгойн арван тав дахь үсэг. ´а´ гэж дуудагдддаг эгшиг.

(2) ㅑ : 한글 자모의 열여섯째 글자. 이름은 '야'이고 중성으로 쓴다.

солонгос цагаан толгойн арван зургаа дахь үсэг. ´я´ гэж дуудагдддаг эгшиг үсэг.

(3) ㅓ : 한글 자모의 열일곱째 글자. 이름은 '어'이고 중성으로 쓴다.

солонгос цагаан толгойн арван долоо дахь үсэг. ´о´ гэж дуудагдддаг эгшиг үсэг.

(4) ㅕ : 한글 자모의 열여덟째 글자. 이름은 '여'이고 중성으로 쓴다.

солонгос цагаан толгойн арван найм дахь үсэг. ´ё´ гэж дуудагдах эгшиг үсэг.

(5) ㅗ : 한글 자모의 열아홉째 글자. 이름은 '오'이고 중성으로 쓴다.

солонгос цагаан толгойн арван ес дэх үсэг. ´у´ гэж дуудагдддаг эгшиг үсэг.

(6) ㅛ : 한글 자모의 스무째 글자. 이름은 '요'이고 중성으로 쓴다.

солонгос цагаан толгойн хорь дахь үсэг. ´юу´ хэмээх нэртэй, саармаг үсэг.

(7) ㅜ : 한글 자모의 스물한째 글자. 이름은 '우'이고 중성으로 쓴다.

солонгос цагаан толгойн хорин нэг дэх үсэг. ´ү´ гэж дуудагдддаг эгшиг үсэг.

(8) ㅠ : 한글 자모의 스물두째 글자. 이름은 '유'이고 중성으로 쓴다.

солонгос цагаан толгойн хорин хоёр дахь үсэг. ´юү´ гэж дуудагдддаг эгшиг үсэг.

(9) ㅡ : 한글 자모의 스물셋째 글자. 이름은 '으'이고 중성으로 쓴다.

солонгос цагаан толгойн хорин гурав дахь үсэг. ´ы´ гэж дуудагдддаг эгшиг үсэг.

(10) ㅣ : 한글 자모의 스물넷째 글자. 이름은 '이'이고 중성으로 쓴다.

солонгос цагаан толгойн хорин дөрөв дэх үсэг. ´и´ гэж дуудагдддаг саармаг авиа.

(11) ㅚ : 한글 자모 'ㅗ'와 'ㅣ'를 모아 쓴 글자. 이름은 '외'이고 중성으로 쓴다.

солонгос цагаан толгойн ''ㅗ'ба 'ㅣ нийлсэн үсэг. 'вэ' гэж дуудагддаг эгшиг үсэг.

(12) ㅟ : 한글 자모 'ㅜ'와 'ㅣ'를 모아 쓴 글자. 이름은 '위'이고 중성으로 쓴다.

солонгос цагаан толгойн 'ㅜ'ба 'ㅣ нийлсэн үсэг. 'ви' гэж дуудагдах эгшиг үсэг.

(13) ㅐ : 한글 자모 'ㅏ'와 'ㅣ'를 모아 쓴 글자. 이름은 '애'이고 중성으로 쓴다.

солонгос цагаан толгойн 'а' болон 'и' нийлсэн үсэг. 'э' гэж дуудагддаг эгшиг үсэг.

(14) ㅔ : 한글 자모 'ㅓ'와 'ㅣ'를 모아 쓴 글자. 이름은 '에'이고 중성으로 쓴다.

солонгос цагаан толгойн 'ㅓ'ба 'ㅣ нийлсэн үсэг. 'э' гэж дуудагддаг эгшиг үсэг.

(15) ㅒ : 한글 자모 'ㅑ'와 'ㅣ'를 모아 쓴 글자. 이름은 '얘'이고 중성으로 쓴다.

солонгос цагаан толгойн ''ㅑ'ба 'ㅣ' нийлсэн үсэг. 'е' гэж дуудагддаг эгшиг үсэг.

(16) ㅖ : 한글 자모 'ㅕ'와 'ㅣ'를 모아 쓴 글자. 이름은 '예'이고 중성으로 쓴다.

солонгос цагаан толгойн 'ㅕ'ба 'ㅣ нийлсэн үсэг. 'е' гэж дуудагддаг эгшиг үсэг.

(17) ㅘ : 한글 자모 'ㅗ'와 'ㅏ'를 모아 쓴 글자. 이름은 '와'이고 중성으로 쓴다.

солонгос цагаан толгойн ''ㅗ' ба'ㅏ'нийлсэн үсэг. 'уа' гэж дуудагддаг эгшиг үсэг.

(18) ㅝ : 한글 자모 'ㅜ'와 'ㅓ'를 모아 쓴 글자. 이름은 '워'이고 중성으로 쓴다.

солонгос цагаан толгойн 'ㅜ' ба 'ㅓ' нийлсэн үсэг. 'уо' гэж дуудагдах эгшиг үсэг.

(19) ㅙ : 한글 자모 'ㅗ'와 'ㅐ'를 모아 쓴 글자. 이름은 '왜'이고 중성으로 쓴다.

солонгос цагаан толгойн 'ㅗ'ба 'ㅐ' нийлсэн үсэг. 'уэ' гэж дуудагддаг эгшиг үсэг.

(20) ㅞ : 한글 자모 'ㅜ'와 'ㅔ'를 모아 쓴 글자. 이름은 '웨'이고 중성으로 쓴다.

солонгос цагаан толгойн 'ㅜ'ба 'ㅔ'нийлсэн үсэг. 'үэ' гэж дуудагдах эгшиг үсэг.

(21) ㅢ : 한글 자모 'ㅡ'와 'ㅣ'를 모아 쓴 글자. 이름은 '의'이고 중성으로 쓴다.

солонгос цагаан толгойн 'ㅡ'болон 'ㅣ'нийлсэн үсэг. 'ыи' гэж дуудагдах эгшиг үсэг.

| ㅏ | ㅓ | ㅗ | ㅜ | ㅡ | ㅣ | ㅐ | ㅔ | ㅚ | ㅟ |

| ㅑ | ㅕ | ㅛ | ㅠ | ㅒ | ㅖ | ㅘ | ㅝ | ㅙ | ㅞ | ㅢ |

ㅣ + ㅏ = ㅑ   ㅣ + ㅓ = ㅕ   ㅣ + ㅗ = ㅛ   ㅣ + ㅜ = ㅠ

ㅗ + ㅏ = ㅘ   ㅜ + ㅓ = ㅝ   ㅗ + ㅐ = ㅙ   ㅜ + ㅔ = ㅞ

ㅡ + ㅣ = ㅢ

ㅏ	ㅑ	ㅓ	ㅕ	ㅗ	ㅛ	ㅜ	ㅠ	ㅡ	ㅣ
a	ya	eo	yeo	o	yo	u	yu	eu	i

ㅐ	ㅔ	ㅒ	ㅖ	ㅙ	ㅞ	ㅚ	ㅟ	ㅘ	ㅝ	ㅢ
ae	e	yae	ye	wae	we	oe	wi	wa	wo	ui

2. 자음 : 목, 입, 혀 등의 발음 기관에 의해 장애를 받으며 나는 소리.

гийгүүлэгч

хоолой, уруул, хэл зэрэг авиа гаргадаг эрхтний улмаас саадтай гарах авиа.

(1) ㄱ : 한글 자모의 첫째 글자. 이름은 기역으로 소리를 낼 때 혀뿌리가 목구멍을 막는 모양을 본떠 만든 글자이다.

солонгос цагаан толгойн эхний үсэг. ги-ёг хэмээх нэртэй, дуудахад хэлний уг хоолойг тагласан байдлыг дуурайлган зохиосон үсэг.

(2) ㄴ : 한글 자모의 둘째 글자. 이름은 '니은'으로 소리를 낼 때 혀끝이 윗잇몸에 붙는 모양을 본떠 만든 글자이다.

солонгос цагаан толгойн хоёр дахь үсэг. ´ни-өнь´ хэмээх нэртэй, авиаг дуудахдаа хэлний үзүүр дээд буйланд хүрч буй байдлыг дуурайлган зохиосон үсэг.

(3) ㄷ : 한글 자모의 셋째 글자. 이름은 '디귿'으로, 소리를 낼 때 혀의 모습은 'ㄴ'과 같지만 더 세게 발음되므로 한 획을 더해 만든 글자이다.

солонгос цагаан толгойн гурав дахь үсэг. ´дигөд´ хэмээх нэртэй, авиа дуудах үейн хэлний хэлбэр ´ㄴ´-тэй адил боловч илүү чанга дуудагдаг тул нэг зурлага нэмж зохиосон үсэг.

(4) ㄹ : 한글 자모의 넷째 글자. 이름은 '리을'로 혀끝을 윗잇몸에 가볍게 대었다가 떼면서 내는 소리를 나타낸다.

солонгос цагаан толгойн дөрөв дэх үсэг. нэр нь ´ри-өл´ бөгөөд хэлний үзүүрийг тагнайд хөнгөн хүргэж дууддаг.

(5) ㅁ : 한글 자모의 다섯째 글자. 이름은 '미음'으로, 소리를 낼 때 다물어지는 두 입술 모양을 본떠서 만든 글자이다.

солонгос цагаан толгойн тав дахь үсэг. ´ми-өм´ хэмээх нэртэй, авиаг дуудах үейн хоёр уруулны хэлбэрийг дуурайлган зохиосон үсэг.

(6) ㅂ : 한글 자모의 여섯째 글자. 이름은 '비읍'으로, 소리를 낼 때의 입술 모양은 'ㅁ'과 같지만 더 세게 발음되므로 'ㅁ'에 획을 더해서 만든 글자이다.

солонгос цагаан толгойн зургаа дахь үсэг. ´би-өб´ хэмээх нэртэй, авиаг дуудах үейн уруулын хэлбэр ´ㅁ´-тэй адил боловч илүү хүчтэй дуудагддаг тул ´ㅁ´ дээр нэг зурлага нэмж, зохиосон үсэг.

(7) ㅅ : 한글 자모의 일곱째 글자. 이름은 '시옷'으로 이의 모양을 본떠서 만든 글자이다.

солонгос цагаан толгойн долоо дахь үсэг. ´ши-уд´ хэмээх нэртэй, авиаг дуудах үеийн шүдний хэлбэрийг дуурайлган зохиосон үсэг.

(8) ㅇ : 한글 자모의 여덟째 글자. 이름은 '이응'으로 목구멍의 모양을 본떠서 만든 글자이다. 초성으로 쓰일 때 소리가 없다.

солонгос цагаан толгойн зургаа дахь үсэг. ´и-өн´ хэмээх нэртэй, авиаг дуудах үеийн хоолойн хэлбэрийг дуурайлган зохиосон үсэг. эхний үеийн гийгүүлэгчээр хэрэглэгдэх үед авиа гарахгүй.

(9) ㅈ : 한글 자모의 아홉째 글자. 이름은 '지읒'으로, 'ㅅ'보다 소리가 더 세게 나므로 'ㅅ'에 한 획을 더해 만든 글자이다.

солонгос цагаан толгойн ес дэх үсэг. ´жи-өд´ хэмээх нэртэй, ´ㅅ´-с илүү чанга дуудагддаг тул ´ㅅ´ дээр нэг зурлага нэмж, зохиосон үсэг.

(10) ㅊ : 한글 자모의 열째 글자. 이름은 '치읓'으로 '지읒'보다 소리가 거세게 나므로 '지읒'에 한 획을 더해서 만든 글자이다.

солонгос цагаан толгойн арав дахь үсэг. ´чи-өд´ хэмээх нэртэй, ´ㅈ´-с илүү чанга дуудагддаг тул ´ㅈ´ дээр нэг зурлага нэмж зохиосон үсэг.

(11) ㅋ : 한글 자모의 열한째 글자. 이름은 '키읔'으로 'ㄱ'보다 소리가 거세게 나므로 'ㄱ'에 한 획을 더하여 만든 글자이다.

солонгос цагаан толгойн арван нэг дэх үсэг. ´ки-өг´ хэмээх нэртэй, ´ㄱ´-с илүү чанга дуудагддаг тул ´ㄱ´ дээр нэг зурлага нэмж зохиосон үсэг.

(12) ㅌ : 한글 자모의 열두째 글자. 이름은 '티읕'으로, 'ㄷ'보다 소리가 거세게 나므로 'ㄷ'에 한 획을 더하여 만든 글자이다.

солонгос цагаан толгойн арван хоёр дахь үсэг. ´ти-өд´ хэмээх нэртэй, ´ㄷ´-с илүү чанга дуудагддаг тул ´ㄷ´ дээр нэг зурлага нэмж зохиосон үсэг.

(13) ㅍ : 한글 자모의 열셋째 글자. 이름은 '피읖'으로, 'ㅁ, ㅂ'보다 소리가 거세게 나므로 'ㅁ'에 획을 더하여 만든 글자이다.

солонгос цагаан толгойн арван гурав дахь үсэг. ´пи-өб´ хэмээх нэртэй, ´ㅁ, ㅂ´-с илүү чанга дуудагддаг тул ´ㅁ´ дээр нэг зурлага нэмж зохиосон үсэг.

(14) ㅎ : 한글 자모의 열넷째 글자. 이름은 '히읗'으로, 이 글자의 소리는 목청에서 나므로 목구멍을 본떠 만든 'ㅇ'의 경우와 같지만 'ㅇ'보다 더 세게 나므로 'ㅇ'에 획을 더하여 만든 글자이다.

солонгос цагаан толгойн арван дөрөв дэх үсэг. ʿхи-өдʾ хэмээх нэртэй, авиаг дуудах үеийн хоолойн хэлбэрийг дуурайлган зохиосон ʿоʾ-тэй адил төстэй боловч ʿоʾ-с илүү чанга дуудагдддаг тул ʿоʾ дээр зурлага нэмж зохиосон үсэг.

(15) ㄲ : 한글 자모 'ㄱ'을 겹쳐 쓴 글자. 이름은 쌍기역으로, 'ㄱ'의 된소리이다.

солонгос цагаан толгойн ʿгʾ-г хосоор бичсэн үсэг. ссанги-ёг хэмээх нэртэй, ʿгʾ-н чанга авиа.

(16) ㄸ : 한글 자모 'ㄷ'을 겹쳐 쓴 글자. 이름은 쌍디귿으로, 'ㄷ'의 된소리이다.

солонгос цагаан толгойн ʿдʾ-г хосоор нь бичсэн үсэг. ссандигөд хэмээх нэртэй, ʿдʾ-н чанга авиа.

(17) ㅃ : 한글 자모 'ㅂ'을 겹쳐 쓴 글자. 이름은 쌍비읍으로, 'ㅂ'의 된소리이다.

солонгос цагаан толгойн ʿбʾ-г хосоор нь бичсэн үсэг. ʿссанби-обʾ хэмээх нэртэй, ʿбʾ-н чанга авиа.авиа.

(18) ㅆ : 한글 자모 'ㅅ'을 겹쳐 쓴 글자. 이름은 쌍시옷으로, 'ㅅ'의 된소리이다.

солонгос цагаан толгойн ʿсʾ-г хосоор нь бичсэн үсэг. ссанши-уд хэмээх нэртэй, ʿсʾ-н чанга авиа.авиа.

(19) ㅉ : 한글 자모 'ㅈ'을 겹쳐 쓴 글자. 이름은 쌍지읒으로, 'ㅈ'의 된소리이다.

солонгос цагаан толгойн ʿзʾ-г хосоор нь бичсэн үсэг. сан жи-өд хэмээх нэртэй, ʿзʾ-н чанга авиа.

ㄱ	ㄴ	ㄷ	ㄹ	ㅁ	ㅂ	ㅅ	ㅇ	ㅈ	ㅊ	ㅋ	ㅌ	ㅍ	ㅎ
g,k	n	d,t	r,l	m	b,p	s	ng	j	ch	k	t	p	h

ㄲ	ㄸ	ㅃ	ㅆ	ㅉ
kk	tt	pp	ss	jj

ㄱ	ㄴ	ㄷ	ㄹ	ㅁ	ㅂ	ㅅ	ㅇ	ㅈ	ㅎ
ㅋ	ㅌ			ㅍ			ㅊ	
ㄲ	ㄸ		ㅃ	ㅆ		ㅉ	

3. 음절 : 모음, 모음과 자음, 자음과 모음, 자음과 모음과 자음이 어울려 한 덩어리로 내는 말소리의 단위.

үе, үгийн үе
эгшиг, эгшиг ба гийгүүлэгч, гийгүүлэгч ба эгшиг, гийгүүлэгч ба эгшиг, гийгүүлэгч нийлэн нэг зэрэг гаргах дуу авианы нэгж.

1) 모음(эгшиг үсэг)

  예 (example) : 아, 어, 오, 우⋯⋯

2) 자음(гийгүүлэгч) + 모음(эгшиг үсэг)

  예 (example) : 가, 도, 루, 슈⋯⋯

3) 모음(эгшиг үсэг) + 자음(гийгүүлэгч)

  예 (example) : 악, 얌, 임, 운⋯⋯

4) 자음(гийгүүлэгч) + 모음(эгшиг үсэг) + 자음(гийгүүлэгч)

  예 (example) : 각, 남, 당, 균⋯⋯

	ㄱ	ㄴ	ㄷ	ㄹ	ㅁ	ㅂ	ㅅ	ㅇ	ㅈ	ㅊ	ㅋ	ㅌ	ㅍ	ㅎ
ㅏ	가	나	다	라	마	바	사	아	자	차	카	타	파	하
ㅓ	거	너	더	러	머	버	서	어	저	처	커	터	퍼	허
ㅗ	고	노	도	로	모	보	소	오	조	초	코	토	포	호
ㅜ	구	누	두	루	무	부	수	우	주	추	쿠	투	푸	후
ㅡ	그	느	드	르	므	브	스	으	즈	츠	크	트	프	흐
ㅣ	기	니	디	리	미	비	시	이	지	치	키	티	피	히
ㅐ	개	내	대	래	매	배	새	애	재	채	캐	태	패	해
ㅔ	게	네	데	레	메	베	세	에	제	체	케	테	페	헤
ㅚ	괴	뇌	되	뢰	뫼	뵈	쇠	외	죄	최	쾨	퇴	푀	회
ㅟ	귀	뉘	뒤	뤼	뮈	뷔	쉬	위	쥐	취	퀴	튀	퓌	휘
ㅑ	갸	냐	댜	랴	먀	뱌	샤	야	쟈	챠	캬	탸	퍄	햐
ㅕ	겨	녀	뎌	려	며	벼	셔	여	져	쳐	켜	텨	펴	혀
ㅛ	교	뇨	됴	료	묘	뵤	쇼	요	죠	쵸	쿄	툐	표	효
ㅠ	규	뉴	듀	류	뮤	뷰	슈	유	쥬	츄	큐	튜	퓨	휴
ㅒ	걔	냬	댸	럐	먜	뱨	섀	얘	쟤	챼	컈	턔	퍠	햬
ㅖ	계	녜	뎨	례	몌	볘	셰	예	졔	쳬	켸	톄	폐	혜
ㅘ	과	놔	돠	롸	뫄	봐	솨	와	좌	촤	콰	톼	퐈	화
ㅝ	궈	눠	둬	뤄	뭐	붜	숴	워	줘	춰	쿼	퉈	풔	훠
ㅙ	괘	놰	돼	뢔	뫠	봬	쇄	왜	좨	쵀	쾌	퇘	퐤	홰
ㅞ	궤	눼	뒈	뤠	뭬	붸	쉐	웨	줴	췌	퀘	퉤	풰	훼
ㅢ	긔	늬	듸	릐	믜	븨	싀	의	즤	츼	킈	틔	픠	희

4. 품사 : 단어를 기능, 형태, 의미에 따라 나눈 갈래.

үгсийн аймаг
үгийг чадвар, хэлбэр, утгаар нь хуваадаг салбар.

• **체언** : 문장에서 명사, 대명사, 수사와 같이 문장의 주어나 목적어 등의 기능을 하는 말.

нэр үг, нэрийн бүлэг
өгүүлбэрт өгүүлэгдэхүүн, тусагдахууны зэрэг үүрэг гүйцэтгэдэг нэр үг, төлөөний нэр, тооны нэр.

• **용언** : 문법에서, 동사나 형용사와 같이 문장에서 서술어의 기능을 하는 말.

хувилах үгс
хэлзүйд үйл үг, тэмдэг үйл үг зэрэг өгүүлбэрт өгүүлэхүүний үүрэг гүйцэтгэдэг үг.

1) **본용언** : 문장의 주체를 주되게 서술하면서 보조 용언의 도움을 받는 용언.

үндсэн үйл үг
өгүүлбэрийн эзэн биетэй холбогдон туслах үйл үгийн тусламж авах үйл үг.

2) **보조 용언** : 본용언과 연결되어 그 뜻을 보충해 주는 용언.

туслах үйл үг
үндсэн үйл үгтэй холбогдож түүний утгыг нэмэн дэлгэрүүлэх үйл үг

• **수식언** : 문법에서, 관형어나 부사어와 같이 뒤에 오는 체언이나 용언을 꾸미거나 한정하는 말.

тодотгох үг
хэл зүйд, тодотгол болон дайвар үгийн хамт хойно нь орж байгаа нэр үг, үйл үгийг тодотгодог өгүүлбэрийн гишүүн.

---

1. **명사** : 사물의 이름을 나타내는 품사.

нэр үг
эд зүйлийг нэрлэсэн үгийн аймаг.

2. **대명사** : 다른 명사를 대신하여 사람, 장소, 사물 등을 가리키는 낱말.

төлөөний үг
бусад нэр үгийг орлож, хүн, байршил, эд зүйлийг нэрлэн заадаг үг.

3. **수사** : 수량이나 순서를 나타내는 말.

тооны нэр
тоо хэмжээ болон дараалллыг илэрхийлдэг үг.

4. **동사** : 사람이나 사물의 움직임을 나타내는 품사.

үйл үг
хүн ба юмны үйл хөдлөлийг илэрхийлдэг үгсийн аймаг.

5. **형용사** : 사람이나 사물의 성질이나 상태를 나타내는 품사.

тэмдэг нэр
хүн ба юм үзэгдлийн шинж чанар, төрх байдлыг илэрхийлдэг үгсийн аймаг.

• **활용** : 문법적 관계를 나타내기 위해 용언의 꼴을 조금 바꿈.

хувирах
хэлзүйн харилцааг илэрхийлэхийн тулд үйл үгийн төгсгөлийг бага зэрэг өөрчлөх явдал.

1) **규칙 활용** : 문법에서, 동사나 형용사가 활용을 할 때 어간의 형태가 변하지 않고 일반적인 어미가 붙어 변화하는 것.

дүрмийн хувирал
хэлзүйд үйл үг, тэмдэг үйл үг хувирахдаа үгийн үндсийн хэлбэр нь өөрчлөгдөхгүй еренхий нөхцөл дүрмийн дагуу хувирах явдал.

2) **불규칙 활용** : 문법에서, 동사나 형용사가 활용을 할 때 어간의 형태가 변하거나 예외적인 어미가 붙어 변화하는 것.

дүрмийн бус хувилал
хэлзүйд үйл үг болон тэмдэг үйл үг хувирахдаа үгийн үндэс болон нөхцөл нь хэлбэрийн хувьд дүрмийн бусаар хувирах.

활용(хувирах) 형태 (хэлбэр байдал)	어간(үгийн үндэс) + 어미(үйл үгийн нөхцөл)	불규칙(дүрэм бус) 부분(хэсэг)	불규칙 용언 (дүрмийн бус үйл үг)
물어	묻- + -어	묻- → 물-	싣다, 붇다, 일컫다…
지어	짓- + -어	짓- → 지-	젓다, 붓다, 잇다…
누워	눕- + -어	눕- → 누우	줍다, 굽다, 깁다…
흘러	흐르- + -어	흐르- → 흘르	부르다, 타오르다, 누르다…
하얘	하얗- + -아	-얗어- → 얘	빨갛다, 까맣다, 뽀얗다…

1) **어간** : 동사나 형용사가 활용할 때에 변하지 않는 부분.

    үгийн үндэс
    үйл үг ба тэмдэг нэрийг хувиргахад үл хувирах хэсэг.

2) **어미** : 용언이나 '-이다'에서 활용할 때 형태가 달라지는 부분.

    үйл үгийн нөхцөл
    хувилах үг буюу ´이다´-с хувирах үед хэлбэр байдал нь өөрчлөгдөх хэсэг.

    ① **어말 어미** : 동사, 형용사, 서술격 조사가 활용될 때 맨 뒤에 오는 어미.

        Тохирох үг хэллэг байхгүй байна
        үйл үг, тэмдэг нэр, өгүүлэхүүний тийн ялгалын нөхцөл хувирах үед хамгийн эцэст орох нөхцөл.

        ㉠ **종결 어미** : 한 문장을 끝맺는 기능을 하는 어말 어미.

            төгсгөх нөхцөл
            өгүүлбэрийг төгсгөх үүрэг гүйцэтгэдэг үгийн эцэст ордог нөхцөл.

        ㉡ **전성 어미** : 동사나 형용사의 어간에 붙어 동사나 형용사가 명사, 관형사, 부사와 같은 다른 품사의 기능을 가지도록 하는 어미.

            хувиргах дагавар
            үйл үг болон тэмдэг үйл үгийн ард залгаж тухайн үйл үг, тэмдэг үйл үгийг нэр үг, тодотгол, дайвар үгтэй адил өөр үгсийн сангийн үүрэгтэй болгодог нөхцөл.

        ㉢ **연결 어미** : 어간에 붙어 다음 말에 연결하는 기능을 하는 어미.

            холбох нөхцөл
            үгийн үндсэнд залгаж дараагийн үгтэй холбох үүрэгтэй нөхцөл.

    ② **선어말 어미** : 어말 어미 앞에 놓여 높임이나 시제 등을 나타내는 어미.

        үйл үгийн төгсгөх дагаврын өмнөх холбох нөхцөл
        үг төгсгөх дагаврын өмнө орж хүндэтгэл, цаг зэргийг илэрхийлдэг дагавар.

어미 (үйл үгийн нөхцөл)			예 (жишээ)	
어말 어미 (Тохирох үг хэллэг байхгүй байна) / (үйл үг, тэмдэг нэр, өгүүлэхүүний тийн ялгалын нөхцөл хувирах үед хамгийн эцэст орох нөхцөл)	종결 어미 (төгсгөх нөхцөл)	서술형 (дүрслэл хэлбэр)	-다, -네, -ㅂ니다/습니다…	
		의문형 (асуух хэлбэр)	-는가, -니, -ㄹ까…	
		감탄형 (аялга үгийн хэлбэр)	-구나, -네…	
		명령형 (захиран хүсэх төлөв)	-(으)세요, -어라/-아라/-여라	
		청유형 (хүсэх хэлбэр)	-자, -ㅂ시다/-읍시다, -세…	
	연결 어미 (холбох нөхцөл)		-고, -며/으며, -지만, -거나, -어서, -려고/-으려고, -면/-으면…	
	전성 어미 (хувиргах дагавар)	명사형 어미 (нэр үг бүтээх дагавар)	-ㅁ/-음, -기	
		관형사형 어미 (тодотгол гишүүний нөхцөл)	과거 (өнгөрсөн цаг)	-ㄴ/-은
			현재 (одоо)	-는
			미래 (ирээдүй цаг)	-ㄹ/-을
			중단/반복 (таслах/давталт)	-던
		부사형 어미 (дайвар үгийн нөхцөл)	-게, -도록, -듯이, -이	
선어말 어미 (үйл үгийн төгсгөх дагаврын өмнөх холбох нөхцөл)	주체(эзэн бие) 높임(хүндэтгэл)		-시-/-으시-	
	시제 (цаг, цагийн нөхцөл)		과거 (өнгөрсөн цаг)	-았-/-었-/-였-
			현재 (одоо)	-ㄴ-/-는
			미래 (ирээдүй цаг)	-ㄹ-/-을-
			회상 (дурсамж)	-더-

6. 관형사 : 체언 앞에 쓰여 그 체언의 내용을 꾸며 주는 기능을 하는 말.

тодотгол үг
нэр үгийн өмнө тохиолдож тухайн үгийн утга, агуулгыг тодотгох үүрэгтэй үг.

7. 부사 : 주로 동사나 형용사 앞에 쓰여 그 뜻을 분명하게 하는 말.

дайвар үг
ихэвчлэн үйл үг болон тэмдэг нэрийн өмнө орж утгыг улам тодорхой болгодог үг.

8. 조사 : 명사, 대명사, 수사, 부사, 어미 등에 붙어 그 말과 다른 말과의 문법적 관계를 표시하거나 그
    말의 뜻을 도와주는 품사.

нөхцөл
нэр үг, төлөөний үг, тооны үг, дайвар үг, нөхцөл дагавар зэрэгт залгаж тухайн үг
өөр бусад үгтэй хэлзүйн харьцаанд орж байгааг илэрхийлэх юм уу тухайн үгийн утгыг
дэлгэргүүлдэг үгсийн аймаг.

1) 격 조사 : 명사나 명사구 뒤에 붙어 그 말이 서술어에 대하여 가지는 문법적 관계를 나타내는 조사.

нэрийн нөхцөл
нэр үг болон нэрийн аймагт залгагдаж өгүүлэхүүн гишүүнтэй хэл зүйн
харилцаатай болохыг илэрхийлдэг нөхцөл.

① 주격 조사 : 문장에서 서술어에 대한 주어의 자격을 표시하는 조사.

нэрлэхийн тийн ялгалын нөхцөл
өгүүлбэрт өгүүлэхүүний эзэн биеийн үүргийг илэрхийлэх нэр үгийн нөхцөл.

② 목적격 조사 : 문장에서 서술어에 대한 목적어의 자격을 표시하는 조사.

заахын тийн ялгалын нөхцөл
өгүүлбэрт өгүүлэхүүний тусагдахуун болохыг заадаг нөхцөл.

③ 서술격 조사 : 문장 안에서 체언이나 체언 구실을 하는 말 뒤에 붙어 이들을 서술어로 만드는
    격 조사.

өгүүлэхүүний тийн ялгалын нөхцөл
өгүүлбэрийн дотор нэр үг болон нэр үгийн үүргээр орж байгаа үгэнд залгагдаж
өгүүлэхүүний гишүүний үүрэгтэй болгодог тийн ялгалын нөхцөл.

④ **보격 조사** : 문장 안에서, 체언이 서술어의 보어임을 표시하는 격 조사.

нэрлэхийн тийн ялгалын нөхцөл

өгүүлбэрт нэр үг өгүүлэхүүний нэмэлт гишүүн болохыг илэрхийлдэг тийн ялгалын нөхцөл.

⑤ **관형격 조사** : 문장 안에서 앞에 오는 체언이 뒤에 오는 체언을 꾸며 주는 구실을 하게 하는 조사.

нэрийн тодотгох нөхцөл

өгүүлбэрт өмнө нь орсон нэр үг хойноо орсон нэр үгийг тодотгоход хэрэглэдэг нөхцөл.

⑥ **부사격 조사** : 문장 안에서, 체언이 서술어에 대하여 장소, 도구, 자격, 원인, 시간 등과 같은 부사로서의 자격을 가지게 하는 조사.

дайвар үгийн тийн ялгалын нөхцөл

өгүүлбэрт нэрийн бүлэг өгүүлэхүүн гишүүнд орон зай, арга хэрэгсэл, нөхцөл, шалтгаан, цаг хугацаа зэрэг харьцааг зааж дайвар үгийн үүрэгтэй болгодог нөхцөл.

⑦ **호격 조사** : 문장에서 체언이 독립적으로 쓰여 부르는 말의 역할을 하게 하는 조사.

дуудах тийн ялгалын нөхцөл

өгүүлбэрт нэр үг бие даан хэрэглэгдэж, дуудах үгийн үүрэг гүйцэтгэх болгодог тийн ялгалын нөхцөл.

2) **보조사** : 체언, 부사, 활용 어미 등에 붙어서 특별한 의미를 더해 주는 조사.

туслах нөхцөл

нэрийн аймаг ба дайвар үг, хувирдаг нэрийн нөхцөлд залгагдаж тусгай утга илэрхийлдэг нөхцөл.

3) **접속 조사** : 두 단어를 이어 주는 기능을 하는 조사.

холбох нөхцөл

хоёр үгийг холбох үүрэгтэй нөхцөл.

격 조사 (нэрийн нөхцел)	주격 조사 (нэрлэхийн тийн ялгалын нөхцөл)	이/가, 께서, 에서
	목적격 조사 (заахын тийн ялгалын нөхцөл)	을/를
	보격 조사 (нэрлэхийн тийн ялгалын нөхцөл)	이/가
	부사격 조사 (дайвар үгийн тийн ялгалын нөхцөл)	에, 에서, 에게, 한테, 께, (으)로, (으)로서, (으)로써, 와/과, 하고, (이)랑, 처럼, 만큼, 같이, 보다
	관형격 조사 (нэрийн тодотгох нөхцөл)	의
	서술격 조사 (өгүүлэхүүний тийн ялгалын нөхцөл)	이다
	호격 조사 (дуудах тийн ялгалын нөхцөл)	아, 야, 이시여
보조사 (туслах нөхцөл)	은/는, 만, 도, 까지, 부터, 마저, 조차, 밖에…	
접속 조사 (холбох нөхцөл)	와/과, 하고, (이)랑, (이)며	

9. **감탄사** : 느낌이나 부름, 응답 등을 나타내는 말의 품사.

аялга үг

мэдрэмж, дуудах, хариу өгөх зэргийг илэрхийлдэг үгсийн аймаг.

5. 문장 성분 : 주어, 서술어, 목적어 등과 같이 한 문장을 구성하는 요소.

өгүүлбэрийн гишүүн өгүүлбэрийн гишүүн

өгүүлэгдэхүүн, өгүүлэхүүн, тусагдахуун гэх мэт нэг өгүүлбэрийг бүрдүүлдэг бүрэлдэхүүн хэсэг.

1. **주어** : 문장의 주요 성분의 하나로, 주로 문장의 앞에 나와서 동작이나 상태의 주체가 되는 말.

өгүүлэгдэхүүн

өгүүлбэрийн гол гишүүний нэг бөгөөд ихэвчлэн өгүүлбэрийн эхэнд байрлаж үйл хөдлөл, төрх байдлын эзэн бие болдог үг.

1) 체언 + 주격 조사 : нэр үг + нэрлэхийн тийн ялгалын нөхцөл

2) 체언 + 보조사 : нэр үг + туслах нөхцөл

2. **목적어** : 타동사가 쓰인 문장에서 동작의 대상이 되는 말.

тусагдахуун гишүүн

тусах үйл үг бичигдсэн өгүүлбэрт үйл хөдлөлийн объект болж буй үг.

1) 체언 + 목적격 조사 : нэр үг + заахын тийн ялгалын нөхцөл

2) 체언 + 보조사 : нэр үг + туслах нөхцөл

3. **서술어** : 문장에서 주어의 성질, 상태, 움직임 등을 나타내는 말.

өгүүлэхүүн

өгүүлбэрийн өгүүлэгдэхүүний шинж чанар, байдал, хөдөлгөөн зэргийг илэрхийлдэг үг.

1) 용언 종결형 : хувилах үгс төгсгөх нөхцөл

2) 체언 + 서술격 조사 '이다' : нэр үг + өгүүлэхүүний тийн ялгалын нөхцөл '이다'

4. **보어** : 주어와 서술어만으로는 뜻이 완전하지 못할 때 보충하여 문장의 뜻을 완전하게 하는 문장 성분.

нэмэлт гишүүн

зөвхөн өгүүлэгдэхүүн ба өгүүлэхүүнээр утга нь бүрэн гүйцэд илрэхгүй үед сэлбэн орлуулж өгүүлбэрийн утгыг бүрэн төгс болгодог өгүүлбэрийн гишүүн.

1) 체언 + 보격 조사 : нэр үг + нэрлэхийн тийн ялгалын нөхцөл

2) 체언 + 보조사 : нэр үг + туслах нөхцөл

5. **관형어** : 체언 앞에서 그 내용을 꾸며 주는 문장 성분.

ТОДОТГОЛ, ТОДОТГОЛ ГИШҮҮН
нэр үгийн өмнө тохиолдож тухайн утга агуулыг тодотгох үүрэгтэй өгүүлбэрийн гишүүн.

1) 관형사 : тодотгол үг

2) 체언 + 관형격 조사 '의' : нэр үг + нэрийн тодотгох нөхцөл '의'

3) 용언 어간 + 관형사형 어미 '-은/ㄴ, -는, -을/ㄹ, -던'

   : хувилах үгс үгийн үндэс + тодотгол гишүүний нөхцөл '-은/ㄴ, -는, -을/ㄹ, -던'

6. **부사어** : 문장 안에서, 용언의 뜻을 분명하게 하는 문장 성분.

дайвар үг
өгүүлбэрт, үйлийн бүлгийн утгыг тодорхой болгодог өгүүлбэрийн гишүүн.

1) 부사 : дайвар үг

2) 부사 + 보조사 : дайвар үг + туслах нөхцөл

3) 용언 어간 + 부사형 어미 '-게' : хувилах үгс үгийн үндэс + дайвар үгийн нөхцөл '-게'

7. **독립어** : 문장의 다른 성분과 밀접한 관계없이 독립적으로 쓰는 말.

тусгаар үг, бие даасан үг, аялга үг
өгүүлбэрийн бусад гишүүдтэй хамааралгүй бие дааж хэрэглэгддэг үг.

1) 감탄사 : аялга үг

2) 체언 + 호격 조사 : нэр үг + дуудах тийн ялгалын нөхцөл

6. 어순 : 한 문장 안에서 주어, 목적어, 서술어 등의 문장 성분이 나오는 순서.

өгүүлбэрийн бүтэц

нэг өгүүлбэр дотор өгүүлэгдэхүүн, тусагдахуун, өгүүлэхүүн зэрэг өгүүлбэрийн гишүүн ордог дараалал.

1) 주어 + 서술어(자동사)

өгүүлэгдэхүүн + өгүүлэхүүн(эс туслах үйл үг)

예 (жишээ) : 바람이 불어요.

2) 주어 + 서술어(형용사)

өгүүлэгдэхүүн + өгүүлэхүүн(тэмдэг нэр)

예 (жишээ) : 날씨가 좋아요.

3) 주어 + 서술어(체언+서술격 조사 '이다')

өгүүлэгдэхүүн + өгүүлэхүүн(нэр үг+өгүүлэхүүний тийн ялгалын нөхцөл '이다')

예 (жишээ) : 이것이 책상이다.

4) 주어 + 목적어 + 서술어(타동사)

өгүүлэгдэхүүн + тусагдахуун гишүүн + өгүүлэхүүн(тусах үйл үг)

예 (жишээ) : 친구가 밥을 먹어요.

5) 주어 + 목적어 + 필수 부사어 + 서술어(타동사)

өгүүлэгдэхүүн + тусагдахуун гишүүн + зайлшгүй хэрэгтэй дайвар үг + өгүүлэхүүн(тусах үйл үг)

예 (жишээ) : 어머니께서 용돈을 나에게 주셨다.

1) 체언(명사/대명사/수사)이/가   +   형용사 어간어미
     <주어>   <서술어>

2) 체언이/가   +   체언을/를   +   타동사 어간어미
   <주어>   <목적어>   <서술어>

7. 띄어쓰기 : 글을 쓸 때, 각 낱말마다 띄어서 쓰는 일. 또는 그것에 관한 규칙.

зай авч бичих, зайтай бичих
юм бичихэд үг тус бүрийг зайтай бичих явдал. мөн түүний талаарх дүрэм.

1) 체언조사 (띄어쓰기) 용언 어간어미

   нэр үгнөхцөл (зай авч бичих) хувилах үгс үгийн үндэсүйл үгийн нөхцөл

   예 (жишээ) : 밥을 (word spacing) 먹어요

2) 관형사 (띄어쓰기) 명사

   тодотгол үг (зай авч бичих) нэр үг

   예 (жишээ) : 새 (зай авч бичих) 옷

3) 용언 어간관형사형 어미 '-은/-ㄴ, -는, -을/-ㄹ, -던' (띄어쓰기) 명사

   хувилах үгс үгийн үндэстодотгол гишүүний нөхцөл '-은/-ㄴ, -는, -을/-ㄹ, -던'
   (зай авч бичих) нэр үг

   예 (жишээ) : 기다리는 (зай авч бичих) 사람 / 좋은 (зай авч бичих) 사람

4) 형용사 어간부사형 어미 '-게' (띄어쓰기) 용언 어간어미

   тэмдэг нэр үгийн үндэсдайвар үгийн нөхцөл '-게'
   (зай авч бичих) хувилах үгс үгийн үндэсүгийн үндэс

   예 (жишээ) : 행복하게 (зай авч бичих) 살자

5) 명사인 (띄어쓰기) 명사

   нэр үгин (зай авч бичих) нэр үг

   예 (жишээ) : 대학생인 (зай авч бичих) 친구

8. 문장 부호 : 문장의 뜻을 정확히 전달하고, 문장을 읽고 이해하기 쉽도록 쓰는 부호.

өгүүлбэрийн тэмдэг
өгүүлбэрийн утгыг тодорхой дамжуулж, өгүүлбэрийг унших ойлгоход хялбар болгох зорилгоор хэрэглэдэг тэмдэг.

1) 마침표 (.) : 문장을 끝맺거나 연월일을 표시하거나 특정한 의미가 있는 날을 표시하거나 장, 절, 항 등을 표시하는 문자나 숫자 다음에 쓰는 문장 부호.

цэг
өгүүлбэрийг төгсгөх, он сар өдөр бичих, тусгай утга агуулга бүхий өдрийг илэрхийлэх, бүлэг, хэсэг, зүйл гэх мэтийг илэрхийлэх тооны дараа тавьдаг өгүүлбэрийн тэмдэг.

2) 물음표 (?) : 의심이나 의문을 나타내거나 적절한 말을 쓰기 어렵거나 모르는 내용임을 나타낼 때 쓰는 문장 부호.

асуултын тэмдэг
эргэлзээ юмуу асуултыг илэрхийлэх, тохиромжтой зүйлийг хэлэхэд хэцүү байх юмуу мэдэхгүй агуулгатай байгааг илэрхийлэхэд хэрэглэдэг өгүүлбэрийн тэмдэг.

3) 느낌표 (!) : 강한 느낌을 표현할 때 문장 마지막에 쓰는 문장 부호 '!'의 이름.

анхаарлын тэмдэг
сэтгэлийн хөдөлгөөнийг илэрхийлэхэд өгүүлбэрийн эцэст хэрэглэх '!' тэмдгийн нэр.

4) 쉼표 (,) : 어구를 나열하거나 문장의 연결 관계를 나타내는 문장 부호.

таслал
доголуудыг жагсаах болон өгүүлбэрийн холбоог илэрхийлдэг өгүүлбэрийн тэмдэг.

5) 줄임표 (……) : 할 말을 줄였을 때나 말이 없음을 나타낼 때에 쓰는 문장 부호.

гурван цэг, хураангуйлах цэг
хэлэх үгээ багасгахдаа юм уу хэлэх үг байхгүй байгааг илэрхийлэхэд хэрэглэдэг өгүүлбэрийн тэмдэглэгээ.

< 참고(ашиглах) 문헌(ном зүй) >

고려대학교 한국어대사전, 고려대학교 민족문화연구원, 2009
우리말샘, 국립국어원, 2016
표준국어대사전, 국립국어원, 1999
한국어교육 문법 자료편, 한글파크, 2016
한국어 교육학 사전, 하우, 2014
한국어기초사전, 국립국어원, 2016
한국어 문법 총론 Ⅰ, 집문당, 2015

HANPUK

한국어 동사 290 형용사 137 Монгол хэл(орчуулга)

발 행 | 2024년 6월 11일
저 자 | 주식회사 한글2119연구소
펴낸이 | 한건희
펴낸곳 | 주식회사 부크크
출판사등록 | 2014.07.15.(제2014-16호)
주 소 | 서울특별시 금천구 가산디지털1로 119 SK트윈타워 A동 305호
전 화 | 1670-8316
이메일 | info@bookk.co.kr

ISBN | 979-11-410-8866-8

www.bookk.co.kr